TEXTOS PARA TOCAR CICATRIZES
IGOR PIRES

Copyright © 2022 by Editora Globo S.A
Copyright do texto © 2022 by Igor Pires

Todos os direitos reservados. Nenhuma parte desta edição pode ser utilizada ou reproduzida — em qualquer meio ou forma, seja mecânico ou eletrônico, fotocópia, gravação etc. — nem apropriada ou estocada em sistema de banco de dados sem a expressa autorização da editora.

Editora responsável **Paula Drummond**
Assistente editorial **Agatha Machado**
Diagramação e capa **Julia Ungerer**
Projeto gráfico original **Laboratório Secreto**
Lettering de capa **Thales Alves (@thales_galves)**
Ilustrações e arte de capa **Anália Moraes | Casa Dobra**

Texto fixado conforme as regras do Acordo Ortográfico da Língua Portuguesa (Decreto Legislativo nº 54, de 1995)

CIP-BRASIL. CATALOGAÇÃO NA PUBLICAÇÃO
SINDICATO NACIONAL DOS EDITORES DE LIVROS, RJ

P744t

   Pires, Igor
     Textos para tocar cicatrizes / Igor Pires ; ilustração Anália Moraes. - 1. ed. - Rio de Janeiro : Globo Alt, 2022.

     ISBN 978-65-88131-71-8.

     1. Poesia brasileira. I. Moreira, Anália. II. Título.

21-79866
                 CDD: 869.1
                 CDU: 82-1(81)

Gabriela Faray Ferreira Lopes - Bibliotecária - CRB-7/6643

1ª edição, 2022 — 11ª reimpressão, 2025

Direitos de edição em língua portuguesa para o Brasil adquiridos por Editora Globo S.A.
Rua Marquês de Pombal, 25
20.230-240 – Rio de Janeiro – RJ – Brasil
www.globolivros.com.br

este livro é um apelo:
sintam muito, sintam tanto, sintam tudo.
como se precisassem recuperar uma parte
perdida de si mesmos, essencial para continuar
vivendo e se emocionando com a vida. como se
precisassem voltar à tona para respirar diante
da correria do mundo e das coisas que passam
depressa porque correr parece o mais correto
a se fazer. este livro é um convite: descansem.
sentem-se na calçada para chorar. ponham a
mão no próprio peito para escutar aquilo que os
mantêm vivos, despertos, flamejantes. desabem
quando for preciso. chorem quando o momento
pedir por frestas de falsidade. desafiem as
normas, a postura adequada, o comportamento
esperado, o que as pessoas acham de você.
excedam. vocês são rios imensos e oceanos
indesculpáveis. aqui, desaguo, derramo, me
dispo. se dispam também.

dedico este livro para todos aqueles
que perderam algo ou alguém.
é perdendo o dente, na infância, que
aprendemos sobre como voltar a sorrir.
é a cicatriz da perda que relata:
uma história passou por aqui.

textos para tocar cicatrizes

o fim na minha boca se tornou intuição	11
é sempre o mesmo corte, o mesmo amor	61
uma ferida com o teu nome	111
um corpo que cai mas continua dançando	175
ilusões para uma vida eterna	237
toda cicatriz é um rastro de história	289

o fim na minha boca
se tornou intuição

vontade é suficiente
para fazer ficar?

igor pires

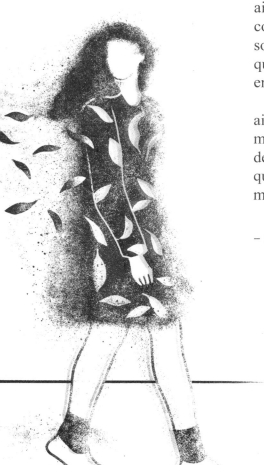

ainda é difícil
compreender que não
sou o culpado
quando alguém vai
embora de mim

ainda estou tentando
me curar
de achar
que eu não sou caminho
mas fim

– *é um processo*

textos para tocar cicatrizes

a que nível de destruição eu estou fadado
ao acreditar que ninguém ficaria por mim?

– autossabotagem

deixo um pouco do teu gosto em cada
boca que avisto
e rezo para não precisar beijar nenhuma
outra na intenção de te esquecer.

– *é tão difícil*

procura

te procuro
para não me procurar
temo o horror de me achar tão perdido

e aí vou me esquecendo
um pouquinho a cada dia
tateando suas sombras
nas minhas costas
atrás das minhas solidões

mas não te acho.

encontro, na verdade,
uma projeção alucinada
de sentimentos que crio
pois no final da noite não há nada
e é tudo mais fácil com você.

textos para tocar cicatrizes

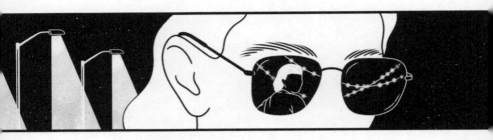

dança

                se eu te perdi
           por que continuo te vendo
      nos postes iluminados da cidade?

nos piscas-piscas das casas
cujos donos celebram mais um jantar natalino

na areia da praia
tão branca tão quente
tão cheia de passos e marcas
e promessas de casais que terminarão dali três meses
ou três dias
areias que foram palco de pedidos
de casamento divórcio amizade
na parte da vida que recebe o mar
as ondas as preces
a fé dos banhistas
o sagrado do mundo que se dissolve
no sal e na água

me responde por que continuo
te vendo no supermercado que costumávamos ir
para comprar comida e memória
se na gôndola te observo escolher o
biscoito recheado de chocolate que eu gosto
se no caixa você está agradecendo
graciosamente à mulher
dizendo a ela que era muita gentileza que nos ajudasse
e por que te vejo empurrar o carrinho como um garoto
de doze anos de idade que nunca viu o mundo
sentiu o tato das coisas
colocou a língua na sensação de liberdade

me responde por que meus olhos
te perseguem e minhas mãos tentam te alcançar
e por que te vejo atravessar o portão do apartamento
com as pastas do trabalho e as palavras na ponta da
língua dizendo que o dia foi um inferno
consigo até ouvir o resmungo: *desta vez eu me demito*

sua voz na minha cabeça como uma música de carnaval
como farol em uma rua escura
como um sol que ilumina o final do túnel, enfim

me responde como é possível
te ver malhando e puxando todos os pesos que,
horas antes, dizia ser impossível fazê-lo
você brincava: não vou conseguir
não sou tão forte quanto você

mas você era e continua sendo

textos para tocar cicatrizes

que força da natureza você é
para continuar pavimentando meu caminho
atraindo meus olhares e aquecendo de ansiedade
qualquer que seja o vislumbre que tenho

que força da natureza és tu
contemplando minha vida e existência
e, ainda assim, decidindo permanecer aqui
perseguindo-me com graciosidade
esquadrinhando-me pelas
calçadas janelas apartamentos vista para o mar metrôs
supermercados academias
tudo tudo

me responde
por que para mim
a vida parece continuar a mesma
em sonho
utopia
irrealidade
depois que você foi embora
e meu olhar permaneceu dançando.

chuveiro

me toco pensando em você e choro
é injusto que minhas mãos te procurem
em lugares que não existem mais

a água quente
que cai sobre mim
é um lembrete:
tua pele era o único mar
que me lavava

o sol do meio-dia arranha o céu lá fora
me lembrando de que estou sempre atrasado
para a vida e para me encontrar
eu já te perdi meses atrás em um
sono profundo e irrecuperável
e nunca mais consegui acordar

textos para tocar cicatrizes

uma pandemia acontece no mundo
e aqui dentro o caminho para te
abandonar também parece interminável

se acordo
o teu nome é o primeiro carro a passar na rua
obrigando minhas mãos a te procurarem
no ar morto da manhã
quase tarde
mas é em vão o horror, o instinto
todo o alarde

enquanto a água limpa
os pesadelos de te sonhar em um lugar impossível
e o corpo macilento da noite anterior
forço a memória para te encontrar neste espaço
imaginário
onde ainda estamos fazendo amor

                                        mas não estamos.

é apenas a minha mão
recriando cenas que não
voltarão a acontecer

é apenas a mão
esculpindo a vida
viva do passado
– onde te encontrei e fui feliz.

perda

perdi o gosto da boca
e o cheiro do perfume na nuca

não me recordo da cor dos seus olhos
confundo o sobrenome da sua mãe
já não sei se a pinta morava no lado direito ou
esquerdo das costas

perdi as fotos da galeria do celular
e todos os grandes momentos que prometi
lembrar para sempre
a vida é cruel com finais que não se resolvem

perdi a lembrança dos banhos
das festas
dos planos
das pizzas em dobro na terça
dos filmes e séries e todos os rituais envolvidos em

textos para tocar cicatrizes

fazer amor
fazer a cama
fazer a vida

perdi as imagens das discussões
das brigas
das faltas
das vezes que fez mal
das vezes que foi bom
das vezes que foi *você*

perdi todas as conversas no whatsapp
os diálogos com seus amigos
a memória de onde você costumava me tocar
sua comida favorita
qual filme moldou a sua infância

perdi a lembrança da primeira vez que te vi
a primeira briga
o primeiro pt
a primeira pisada na bola
perdi as viagens
as cidades
as ruas do carnaval

eu perdi todos os detalhes do seu corpo
que eu lembraria se o tempo não tivesse
sido tão fiel em me proteger de querer
reviver todas essas memórias com **você.**

viagem

tinha o perfume que comprei na viagem
a vontade de voltar para os seus braços e resgatar
meu cheiro que ficou pendurado na manga da
sua camisa
tinha o desejo de que minha pele conhecesse a tua
de forma tão honesta que, a partir do toque,
nunca mais precisaríamos falar palavra alguma

ficaríamos petrificados, paralisados, emudecidos
um no silêncio do outro

tinha a saudade que andava à minha frente,
moldava meu humor, anunciava a todos
que falavam comigo: falta alguém
porque faltava
e continua faltando

textos para tocar cicatrizes

existia meu coração voltando a bater
porque te veria de novo
e o calor das suas mãos
apaziguando meu corpo
domesticando todos os meus medos
transformando-os em crianças que
depois de tanto procurarem
finalmente encontram suas mães
em supermercados cheios em dia de pagamento

sua voz doce entraria pelo meu ouvido,
convidaria meus pensamentos para dançar
seus braços conheceriam, novamente, os meus,
seu sorriso arrancaria a camada de proteção
do meu peito que, com tanto afinco,
e durante tanto tempo, construí para não me
roubarem de mim

mas você me roubou e continua roubando.

eu tinha tanto para te dar.
e nestes dias, mais tristes,
mais duros, mais infelizes,
eu penso: será que doeu nele tanto quanto doeu em mim
será que as mãos dele também procuram
as minhas quando chove na cidade e não há ninguém
com quem falar
será que seus braços também sentem
falta de ter companhia para remar
no barco solitário da existência humana
será que seu sorriso também morreu
quando deixou de ver o meu

igor pires

sinto saudade
estou sempre triste
e as pessoas ainda me perguntam de você.

projeção

se o que eu amei de você foi uma projeção
os lugares também foram inventados?

as conversas os atritos os pedidos de socorro
o apartamento da Rua Augusta as orações para deus
às três horas da manhã os vícios e os efeitos do vício
a solidão e os efeitos da solidão?

era projeção todos os sexos nos fins de semana
e todos os dias úteis em que fomos tão distantes
que buracos poderiam ser abertos sob nossos pés?
a vez que te peguei me traindo com outras expectativas
que não aquelas que criamos durante anos e os planos das
viagens os cadernos com as contas de cada mês
as passagens compradas e depois as discussões porque
desistir era mais fácil do que se aventurar em outro país?

textos para tocar cicatrizes

se tudo era uma projeção, o que de fato chegou a existir?

o gás da cozinha que quase explodiu na nossa cara
no final do ano de 2016
os chinelos que perdi durante aquela chuva torrencial
que engoliu o mês de maio
e que depois encontrei acidentalmente perto do
mercado da rua
o porteiro do nosso prédio dando bom dia todas as
manhãs como se
esperasse que fôssemos ter realmente um dia incrível
sua mãe gritando comigo que eu era péssimo para você
minha mãe agradecendo a sua existência sem saber que
você colocava mentiras debaixo do meu travesseiro
à noite para eu dormir melhor?

a terapia de casal
os três carnavais no Rio de Janeiro
a viagem até Minas Gerais para você prestar
concurso público
o braço que eu quebrei caindo da cadeira
que usei para pendurar um quadro teu

o que foi real e o que foi invenção?

você passando os dedos nas minhas têmporas
o arrepio que eu sentia toda vez que sua língua
descobria cenários no meu corpo
o cheiro de mel do seu cabelo
suas pernas peludas e cheias de vida
a cor dos seus olhos que pareciam
com o mar das sete da noite

o cheiro de amaciante das suas roupas
o sabor da sua boca arejada depois de um dia
de trabalho?

você me empurrando com os braços
enquanto eu andava devagar quase parando
você sorrindo para mim enquanto atravessava
a Avenida Paulista falando **CORRE** e eu lá
quase parando
te observando com meus olhos bem abertos
bem imensos
e tudo também era tão imenso
tão certo
tão nós

mas foi tudo ilusão, não é?
a avenida ensolarada
São Paulo em sua mais completa alegria e transmutação
o Rio de Janeiro com suas praias quentes e felizes
a gente sendo feliz muito feliz
feliz demais?

eu inventei tudo isso, não é mesmo?
para não parecer tão duro tão difícil tão-como-foi?

se o que eu amei de você foi realmente uma projeção,
me explica, eu quero entender
por que meu peito ainda acende
sempre que sinto o gosto do teu nome.

textos para tocar cicatrizes

este é um texto sobre alguém
que sabotou o amor

32   para evitar a queda preferiu se jogar primeiro do prédio. para evitar o soluço no começo da garganta, que adoece até o mais forte dos brônquios, decidiu ele mesmo dar fim àquilo que chamava de relacionamento, sorte, obra divina ou simplesmente acaso. para evitar as aspirinas por meses a fio e o choro na casa das amigas no meio da madrugada da tarde aos finais de semana ou em qualquer espaço onde o assunto término viesse à tona, para evitar as explicações humilhantes de como ele tinha sido deixado para trás; de como o outro tinha tirado todas as coisas do apartamento, o sofá que compraram naquela liquidação da tokstok, o fogão que acharam no meio da rua voltando da boate e até mesmo a cama, dada de presente quando fizeram dois anos de casados; para evitar o choro repentino no meio de qualquer memória que pudesse aparecer quando se lembrasse que o outro também havia levado o gato que, porra, ele amava. para evitar a sensação de ser deixado pra trás na corrida do

amor e da superação; para evitar o sentimento de que existe sempre alguém melhor do que ele, mais bonito, mais jovem, melhor ajuizado; para evitar chegar ao fim do amor acabado, árido, drenado, sem ar e sem nada; para não viver a feitura à qual os casais da pós-modernidade estão sujeitos: separados, vivem na mesma casa, se sentam na mesma mesa, vestem as mesmas rotinas, mas longe estão do amor, da paz, dos votos confessados e entregues ao altar, do compromisso que esfarelou antes mesmo de adentrar a sala; para não terminar como estes casais que se orgulham de continuarem amigos, vivendo debaixo do mesmo teto, compartilhando da mesma comida, todavia com os corações repousados em outra terra, existindo em outro país, sendo felizes com alguém que não você. para evitar a queda e os arranhões e a profundidade do machucado, preferiu se atirar no assunto tão temido, incerto, sepulcral. e lá foi ele, dizendo assim no começo, olha, eu te amei muito, eu quis muito que desse certo, eu quis muito provar da liberdade e do amor e colocar a língua em todas as drogas caminhos retiros espirituais transas e sentimentos que estavam presos a você quando te conheci, eu quis muito construir uma família ter filhos casar na praia com uma festa para 60 convidados sem padre nem figura cristã apenas com alguém fodido no amor o suficiente para casar duas pessoas malucas que encontraram um no outro motivos para seguir. lá foi ele cortando o bem pela raiz, pegando pela garganta a chance, única, comprida, de ser feliz, muito feliz, lá foi ele arrancando da terra a única flor à vista, a única que nascia mesmo com chuvas torrenciais e tempestades e furacões e dias infelizes e semanas incompletas e meses em que tudo faltava, menos os dois. ele sabotou o amor e o que tinham em nome do orgulho, do egoísmo e da sensação, talvez falsa, talvez enganosa, de que o outro acabaria primeiro com ele, colocaria fim aos dois, o deixaria sozinho pela estrada. e já pensou na hipótese disso não acontecer? dele não te abandonar no meio do caminho e de você tê-lo feito porque é isso o que sempre faz? mata o amor, estrangula o amor, engole seco o amor, joga fora o amor. você quem desperdiça a água, quem pede por mais comida e deixa de comer, quem clama por adrenalina, mas foge a qualquer sinal de frio na barriga, no coração. então para evitar a queda e uma possível dor, você quem levou o sofá, o fogão, a cama, o gato, o tato, o toque. para evitar as terapias às sextas, as conversas com o divino e as muitas perguntas sobre quem fez o quê, tu abraçou a parte feia, seca, dura e morta de um relacionamento que é quando alguém se sabota e sabota o outro. que é quando alguém mata a si e ao outro em sinal de que não consegue confiar em ninguém. você achou que pulando do barco o fim doeria menos, que jogando-se da sacada do apartamento a queda seria menos escatológica e mais poética, mais racional e menos alma, mais coragem e menos covardia. engano seu. agora, vai olhar para trás como alguém que, mesmo do chão, ainda deseja regressar ao momento antes do voo, como alguém que almeja não ter errado tanto no cálculo da paranoia e das alucinações, como alguém que não deveria nutrir o egoísmo tal qual a água alimenta os lençóis freáticos ou como alguém que simplesmente aceita o amor e entende que amar também é para os grandes, os fortes e para aqueles que têm medo como você tinha e continuará tendo.

mágoa

eu tive tanta vontade de mandar você ir se fuder ir
à merda ir para o raio que pudesse te partir
depois tive vontade de ir até sua casa e gritar
todos os xingamentos possíveis não exatamente
para você mas para os seus vizinhos eu queria
te ferir pelas beiradas
eu queria te desmoralizar
dizer *"ele falava tanto sobre amor mas nunca*
chegou a cobrir o meu corpo de afeto"
ou
"quanto mais afeto doava
mais sozinho eu ficava"
eu queria que o teu porteiro soubesse do grande
covarde que você foi
eu queria que teus amigos soubessem do grande
homem maduro e estável que você era até deixar
de ser
eu queria que todos soubessem que o personagem

textos para tocar cicatrizes

que você havia criado não passava de alguém que
não seguraria uma minissérie de 3 capítulos
a atuação pequena, ínfima
eu tive vontade de falar tudo nas redes sociais
que você arquitetou uma rejeição que não parecia
tão ruim assim afinal de contas você me deixava
dormir ao teu lado na cama
você me deixava tomar café contigo todas as manhãs
você até me deixava olhar em teus olhos pouco antes de
dormir
no entanto a rejeição era ainda pior porque você
sabia que todas as vezes que desviava a boca
quando eu ia te beijar uma cratera ainda maior se
içava em mim
que o desvio do beijo e do afeto eram como
milhares de agulhas entrando no meu pé ao
mesmo tempo era como receber socos sucessivos
de quem eu mais queria e amava
meu deus como eu queria e te amava
eu juro que tive vontade de contar das vezes que
quase implorei pra gente fazer amor
das vezes que te olhava nos olhos e a tua
linguagem corporal me empurrava para uma zona
de amizade para um lugar estranho onde afeto não
anda lado a lado com amor e onde desejo é um
cidadão impedido de entrar no próprio país
você dizia que não gostava muito
que não era muito "você"
o toque o tato o beijo não eram muito você ou o
problema era eu?
e eu te perguntei inúmeras vezes

"o problema sou eu?
o problema sou eu?
o problema sou eu?"

e a porra da pergunta ainda ecoa na minha mente
faz uma arte
escreve uma bíblia
hasteia uma bandeira vermelha
se o problema não era eu
onde era então?
se você acordava no dia seguinte sorrindo como se
não tivesse acabado de me jogar num oceano com
várias perguntas e questionamentos
mas mesmo assim seguíamos a vida íamos às festas
à casa dos amigos ao vôlei de praia aos finais de semana
a todos os lugares que poderiam ser facilmente
enganados pela nossa postura
é isto: <u>você gostava da performance</u>
você gostava de parecer bem e feliz quando por
dentro eu estava podre seco e completamente drenado
o teu privilégio de não fazer absolutamente nada
arruinou a nossa relação
o teu privilégio em continuar de mãos vazias
quando eu tinha o mundo inteiro nas minhas
os sonhos os dramas as tristezas o amor
como eu tinha amor para te dar
eu tive tanta vontade de sumir
de desaparecer e ficar meses exercitando todo
o amor-próprio que a gente lê em livros e busca
em palestras gratuitas no YouTube
eu tive vontade de voltar para a igreja
para a terapia

textos para tocar cicatrizes

para o meu outro ex
para qualquer pessoa que me tratasse com um
pouquinho mais de dignidade
um pouquinho mais de afeto eu já ficaria feliz e
tiraria o peso da rejeição das costas
eu tive vontade de preencher a lacuna com
outra pessoa com qualquer um que me fizesse sentir
especial olhado desejado
em oito meses de namoro você me disse três
vezes que eu era bonito
em cento e oitenta dias eu conto nos dedos da
mão as vezes que você me olhou
porra
por que eu fiquei
eu me pergunto
se tudo o que você me dava era pouco e escasso
agora estou aprendendo que escassez nesta história
mora nos teus ombros
dorme entre teus dentes
se aconchega nas várias lacunas e espaços que você traz
você só é vazio demais agora eu sei
você só é mais um homem que acha que o mundo
está aos teus pés e que todos à sua volta cairão por você
eu quis falar mal de ti para os teus inimigos
eu quis fazer uma tatuagem
na verdade fiz algumas
tive vontade de cortar o cabelo
mudar de estado
morar em qualquer lugar que me desse a sensação
de que eu não sou indesejado
de que no final das contas alguém me quer
eu tive vontade de fumar

de perder a cabeça de escrever livros dar
entrevistas criar grupos de apoio a pessoas que
passaram por relacionamentos abusivos eu tive
vontade de contar toda a história para a minha mãe
para um desconhecido na rua para a minha editora
para você
eu tive vontade de especialmente segurar a minha
mágoa em mãos e jogá-la contra você
mas não foi possível
e é por isso estou aqui
escrevendo.

continua sendo amor
se eu for embora agora?

40 tenho conversas inteiras que nunca ousaram sair de
mim e conhecer outras atmosferas, a atmosfera do
seu peito. minhas verdades nunca assustaram seus
olhos, não causaram terror na sua negligência. por
você, sempre me mantive inanimado, feito vulcão
que adormece por medo de machucar. por isso eu me
machucava, me sucumbia em dias e dias de silêncio,
em festas que de felicidade não tinham nada, em
semanas de estranhamento e completa deslocação.
eu parecia sempre deslocado ao teu lado. como se
pegassem uma fotografia nossa, recortassem e pronto,
lá estávamos nós, tentando em vão o amor, tentando
em vão alguma coisa que pudesse, magicamente, nos
unir, tentando uma situação que já nascera morta e
inútil. **eu tentava te fazer feliz enquanto você tentava
me manter aqui.** uma diferença que não se resume
apenas à gramática: o espaço entre nós era maior do
que o espaço entre dois irmãos que não se falam; entre

dois amantes que se consomem, mas não se amam;
entre a solidão de dois cachorros que moram na mesma
rua, no entanto não sabem de si, nunca se deitaram
no mesmo paralelepípedo, sequer latiram para os
mesmos transeuntes. nós estamos no mesmo cômodo
agora, cada um em sua própria sentença de morte.
estamos rindo e bebendo cerveja e de longe avisto o
Cristo Redentor, pensando que a medida do nosso fim
ocorre no instante em que me dou conta dessa lacuna,
desse vão, abismo, buraco em que tudo cabe, menos a
gente. e já tentamos unir nossas peles, já tentamos fazer
amor com a conexão de duas dimensões impensadas
(e por isso desconhecidas), já tentamos dialogar sobre
as diferenças que nos compõem, arquear as palavras
rumo à reconciliação e à paz, erguer o sentimento de
que somos um para o outro e deixá-lo no centro da
disputa, no seio das nossas próprias vontades. mas te
pergunto: *vontade é suficiente para fazer ficar?* vontade
é suficiente para fazer arder o peito, avolumar o desejo,
trazer à tona a esperança de um amor recíproco? te falta
reciprocidade. um pouco mais de pulo e você estaria no
mesmo lugar que eu. um pouco mais de coragem e você
estaria voando, comigo, neste instante. mas estamos
em momentos diferentes deste mesmo céu que nos
abriga, não é? habitamos o mesmo tecido do mundo e,
ainda assim, permanecemos isolados, distantes, presos
à retórica da permanência. eu me pergunto por que eu
permaneço. se sinto meu corpo adoecer em ansiedade
todos os dias pouco antes de dormir. se sinto meus
ossos dançarem a música da solidão mesmo quando
você me abraça e consigo sentir o cheiro ocre do seu
corpo manso. se meu corpo treme com a possibilidade

textos para tocar cicatrizes

de que continuemos juntos, porque assim, dessa forma, atesto que permanecerei sozinho por muito mais tempo, tempo demasiado. carrego desmoronamentos em mim que nunca desafiaram a sua constância. prédios inteiros que desabam enquanto você conta sobre alguma coisa que fez durante o dia, cidades que se destroem enquanto você balbucia algo sobre seu trabalho, países em guerra enquanto você sussurra algo sobre inflamações na pele, coisa e tal. tudo o que você disse parece maior do que aquilo que sou, que tenho. nenhuma das minhas agonias parecem ser agonias perto de você. faminto, você abocanha minha vivacidade, tudo o que em mim limita meu espírito, me torna eu. seus movimentos deságuam meus limites, contigo e por você perco, muitas vezes, a minha identidade. o que sou? penso, tantas vezes. **é amor se eu for embora agora?** se eu for contra a vontade de todos, se eu surpreender meus amigos e minha família, se eu disser toda a verdade que me segura e me ampara dentro desse território que estamos? todos acham que estou feliz, mas na verdade estou em completo fingimento. acreditam que por vivermos sorrindo não há uma bomba atômica passeando pelo sangue. eu te amo, sim, é claro que te amo. mas como posso amar alguém se para amá-lo necessito abrir mão de mim e de tudo que me formou para chegar aqui? se falta a conexão e as perguntas e a curiosidade. se falta você sair do centro do mundo, universo, palco, nós, para que eu também seja visto — e, então, amado? pois é isto que falta em você. me ver para me amar.

entre Santa Teresa e Laranjeiras

soube ir embora silencioso. guardou para si as palavras vociferadas, as tempestades que acumulava no peito, as lágrimas todas condensadas na parede da garganta, o choro preso por carregar os vazios, a incompetência ou ingerência ao dispensá-los. não sabia como se desfazer de uma presença que o acompanhava fazia anos, algo como uma angústia em cada pequeno ato, uma fúria sobre o mundo que lhe tomava o ar de uma forma não apenas violenta, mas exausta. ele estava exausto. da mesma cerimônia de sempre. da mesma conversa após o sexo, dos maneirismos, das desculpas para não ficar. já tinha decodificado cada movimento. sabia que quando a resposta demorava a chegar significava que o interesse também se demoraria. que quando as palavras se tornavam escassas, o desejo também já não estava ali, havia evaporado feito água. sabia que quando a transa era rápida demais ou o beijo menos molhado o dia seguinte traria a sensação da solidão que fica quando o toque não viaja até o centro da pele. então ele estava deprimentemente cansa-

textos para tocar cicatrizes

do. arrebatadoramente perdido. incansavelmente infeliz. e dessa vez foi embora sem avisar. levantou da cama como quem antevê o alarme, abraçado na própria agonia de se salvar. fechou a porta sem fazer barulho, absorto na decisão de nunca mais encontrá-lo. horas antes os corpos tinham se tocado como granadas encontrando um frágil chão e agora ele decidia correr para o mais longe rápido distante possível. queria logo chegar em casa e se lavar de uma noite que havia levado tudo dele, menos a sensação de que permanecia tudo igual, tudo sintomático demais, superficial, obsceno, comum. ele levou tantas expectativas na mala, carregou com tanto afinco as palavras certas para dizer a ele, a boca enfim se debruçando sobre as palavras leves, os discursos sobre honestidade fincando na ponta da língua, a conversa sobre traumas e relacionamentos antigos. mas não teve nada disso. um silêncio sepulcral invadiu a manhã e atrapalhou os corpos de se amainarem no amor. o silêncio das palavras que não se conversam como a pele faz, os diálogos que não se espreguiçam da mesma forma que o suor escorre pelos braços, a falta e a ausência voltando à tona depois que a intimidade fora revelada. ele saiu daquele apartamento ainda mais cansado. como se tivesse engolido um elefante ou estivesse imerso em um oceano tão profundo, tão solitário, tão infinito, que ombro algum daria conta de consolar. então no exercício de sua volta para casa e, enfim, para si, recorreu à lágrima. recorreu ao sentimento mais acolhedor que pudera ter ali naquela tarde de maio. chorou como nunca antes, sentiu como sempre e tanto, e se permitiu desmoronar.

presságios de um domingo normal

quanto tempo falta para isso terminar?

                                não responde agora.

há uma tristeza branda nos seus olhos, já conheço bem
os caminhos para o fim.

foi terça-feira passada? foi naquele domingo depois de
tantas taças de vinho e um sexo que não deu certo?

você parou na porta do quarto e me olhou pacientemente,
como se fizesse algum cálculo matemático, uma função
difícil de decifrar, um voo que pensamos bem se
fazemos ou não.

você parecia me examinar para ver se valia a pena.
se fazia sentido entrar de uma vez naquele cômodo
e se deitar na cama ou se era melhor voltar para a sala,
sob a justificativa de que precisava estudar.

como dizemos "eu não quero mais" sem levantar palavra
alguma ao céu?

porque estamos neste estado estranho onde os dias vão
acontecendo e vamos sendo levados, arrastados para
dentro do cotidiano, e quando percebemos passaram-se

dois,

três meses,

quatro.

e a areia movediça vai crescendo debaixo dos pés, os
compromissos, as reconciliações.

carrego um pressentimento no peito de que algo
está fora do lugar e ele ecoa não importam quantas
vezes a gente faça amor, se na cozinha nossas mãos
se encontram e nosso abraço se encaixa, se na rua
andamos lado a lado, cuidadosos e amáveis demais para
quem não rotulou a relação, para quem a deixou livre,
para andar por aí, viver solta, mesmo sem nós.

mas você me quer mesmo?

"*tenho sentimentos*" é um pouco vago a esta altura do
campeonato. é um pouco apático, moral, bíblico. ter
sentimentos todos têm, mas o que você faz com eles?
como você os abraça? como você os resolve

dissolve?

"tenho sentimentos" é o apartamento vizinho do
"eu quero um tempo"
    "isso não vai dar certo"
        "o problema sou eu, não você".

eu sinto o cheiro dos seus braços cruzados enquanto
bato a porta e me despeço de você e do que vivemos
esse tempo todo.

por isso estou calmo. uma paz invade milimetricamente
cada parte que tenho pois eu já sei o script, já li o
roteiro, já passei por isso outras vezes, muitas.

começa com dias mais silenciosos.

depois, os encontros vão se rarefeiteando, virando
pontos específicos em uma reta para lugar algum.
nós nos encontramos para ir ao bar, à praia, à social
na casa dos amigos, mas nada é profundo ou quente o
suficiente. nada é enérgico o bastante para te fazer olhar
profundo em meus olhos, me perceber, petrificar.

você me enxerga, baby baby?

depois, as mensagens fáceis e simples. as declarações
perdendo a cor e o sentido, a intensidade e a frequência,
a força e a comoção.

e aquilo que era para ser uma relação amorosa vai se
transformando, silenciosa e infelizmente, em um afeto
condensado em tristeza. um **amor-amigo** que queima a
pele, rasga o orgulho, mastiga o ego.

eu sinto isso agora.
a estranheza de já ter estado neste lugar antes.
nada do que eu faça te fará fazer alguma coisa para além
do que já sei.
e sei que não passaremos de dias, no máximo semanas.

não comemorarei seu aniversário em outubro, você
libra com ascendente em gêmeos. você no auge dos 28,
saindo do mestrado e entrando em uma parte da vida
mais responsável e, portanto, confiável. você, sendo feliz
e grande e realizado e tudo, sem mim.

e tudo bem que sem mim. e tudo bem que histórias de
amor de três, quatro meses, arranquem com tanta dor
as nossas projeções e as nossas lágrimas. e tudo bem
que eu achei mesmo que dessa vez ficaria com alguém
que me compreendia, que me olhava calmo e doce, que
me fazia dançar certo e confiante, que me dava todas as
razões para acreditar.

eu acreditei muito um dia.

mais especificamente naquele em que você fez brownie
de chocolate para as minhas irmãs. era domingo
e depois do almoço estávamos todos nós rindo e
comendo como se nossos problemas não estivessem
agarrados ao estresse do cotidiano. a vida parecia no
lugar certo. o mundo parecia ter parado de rodar por
um momento para nos apreciar.

eu acreditei tanto
pois você me parecia tão certo
tão manso
tão no lugar
mas agora eu me pergunto

quanto tempo falta para você voltar a si?
para cair na real
e se dar conta de que os sentimentos que tem por mim
não são os mesmos
nem tão densos
nem tão fortes e profundos e incríveis
que os que tenho por você?

que a balança está desnivelada
que do meu lado pesa mais
que da minha parte tem mais entrega e carinho e
atenção

que eu estou caindo nesta parte da ponte sobre o rio e
que você está em pé
distraído
tentando entender sobre as próprias certezas?

não responde agora.

o céu ainda está bonito em todas as suas cores, quando
anoitecer você diz.

textos para tocar cicatrizes

está tudo bem entre nós?

eu fiquei com as palavras atravessadas na garganta das
noites que, antes de dormir, tentava te perguntar: *está
tudo bem entre nós?*
mas nenhuma delas ousava dançar nos meus lábios,
feito bailarina, que encontra olhos expectantes e
aplausos de quem sabe apreciar o corpo flutuando

eu fiquei com todas as perguntas doentes, moles, secas,
que pairavam no meu cérebro, que se alimentavam dos
fios da minha cabeça, sobre o que tínhamos,
sobre o que você sentia por mim

eu fiquei com a sensação morna e grotesca mas, ainda
assim, dura e imprecisa, logo pela manhã, de que você
não era pra mim

e pensava: *meu deus,*

por que eu continuo aqui?

textos para tocar cicatrizes

quando te via tomar banho, sempre tão longe, mesmo
com o corpo colado ao meu,
e não queria compreender o gosto ácido da palavra
s o l i d ã o

aquilo era a mais pura solidão contemporânea:
quando duas pessoas
estão tomando banho no mesmo quadrado do azulejo e,
ainda assim, um silêncio impera,
uma força da natureza capaz de silenciar mãos e toques
e olhares
aniquilar qualquer um dos corpos

nós não conversávamos,
apenas levantávamos palavras ao vento

você não me tocava, embora eu quisesse te fazer flutuar
você não me desejava, mesmo que eu quisesse
transpassar sua pele e chegar no centro do teu prazer

e das vezes que tentávamos
parecia tudo tão fora do lugar
tão desconexo
incompatível
que gozar não era como chegar ao céu:
eu sentia que o inferno estava debaixo dos meus pés,
esperando para me resgatar

[de você e de tudo]

e então partilhamos a mesma cama por dois meses
o café da manhã que consistia em ovos, bacon, pão e chá;
as sextas-feiras com seus amigos, que sabiam da
fronteira que nos apartava;
os sábados sempre iguais, com a ansiedade de não saber
se naquela noite faríamos amor ou apenas colidiríamos
dois corpos no espaço;
se no domingo o dia todo deitado um no colo do outro
diria mais sobre amizade do que romance

agora, percebo, habitei um país que desconhecia.

você me deu o passaporte errado, me mandou a uma
cidade que eu nunca tinha estado, me fez andar por
ruas, procurar lojas, visitar pontos turísticos contigo
e com a tua ansiedade, e no entanto nunca me deixou
conhecer, de fato, tudo que te brilhava os olhos,
assustava a pele, te fazia gritar

eu estava em uma viagem de ida para uma palavra
chamada afeto e em sua cabeça tudo estava
perfeitamente arquitetado: me manter suficientemente
por perto para continuar te amando e te rendendo
graças; mas não muito próximo ou íntimo para não te
causar tremor ou emoção

me permitir te ver nu, mas nunca despido
fazer sexo, nunca amor

textos para tocar cicatrizes

preparar os cafés da manhã, os almoços e jantas,
mas nunca ter a sorte
de ser olhado nos olhos e abraçado por trás como quem
agradece o tempo compartilhado e as horas necessárias
para se preparar o sustento do dia a dia

agora percebo as ausências todas,
estavam na minha frente
e mesmo que apresentadas sutilmente
permaneciam lá, debaixo do meu nariz, da vida
cotidiana, da ansiedade tarde da noite, dos movimentos
ordinários que fazíamos juntos, à frente das paranoias
que, hoje, dão conta de explicar muitas coisas

agora eu consigo compreender as vezes que você
se omitia de dizer alguma coisa bonita sobre mim
das vezes que admiração foi uma palavra que passou
longe da sua boca
das noites que qualquer filme era melhor
do que um abraço meu

as palavras que demorei para dizer, porque doíam,
finalmente vieram após dois meses de microlesões

após algumas semanas em que engoli o orgulho e o ego
e almocei com intuições – que agora vejo, estavam
corretas, todas em seu devido lugar –
pude compreender por que você é você
e eu sou eu

eu não colocaria alguém para dormir comigo debaixo
dos mesmos lençóis e expectativas durante meses para
suprir carências e espaços que outras pessoas deixaram

eu não faria uma festa de aniversário para alguém em
uma sexta-feira e logo no domingo estaria concordando
em deixá-la ir embora, intacto e imóvel, como você fez

eu não levaria uma relação para a casa dos meus amigos
e família com a intenção de deixar a pessoa a qual amo
sozinha
solitária
vazia e sem vontade de permanecer

você conseguiu, com a apatia que lhe é total, consumir
toda a energia que tinha quando te vi pela primeira vez
toda a luz que existia dentro de mim quando achei que
você seria diferente
dos homens, tantos, que encontrei por aí.

eu não era uma pessoa?
hoje me questiono.

merecedora da sua verdade, por mais que ela doesse e
me partisse   ao meio.

alguém que merecia sua honestidade como
primeiro passo para qualquer caminho ou estrada
que pegássemos.

textos para tocar cicatrizes

alguém que também tinha planos
sonhos e uma vontade, quase vergonhosa,
de ser amado?

eu não era uma pessoa?

que merecia a consideração dos dias que estava ali,
ao teu lado, te cuidando nos detalhes mínimos – de
quando machucou o dedo do pé à vez que precisou ser
colocado para dormir depois de desmaiar por causa
do álcool? –, tentando ser a melhor versão para você,
porque eu achava justo, ainda sentindo que, talvez,
não estivéssemos na mesma oração?

eu não era uma pessoa?
digna de saber que você não gostava de mim da forma
que eu gostava?

tantas perguntas rodopiam

enquanto escrevo isto agora.

é sempre o mesmo corte, o mesmo amor

ficamos por apego, ego, facilidade.
permanecemos porque os horários batiam,
as agendas se encontravam, os amigos eram os
mesmos, as festas acendiam nossos pés, as ruas
sabiam nossos nomes, os lugares conheciam a
mim e a você, o mundo nos adorava.

angústia

*um aperto no peito que não conversa com mágoa alguma.
um pressentimento de que tudo passa, mesmo você.
um nó na garganta parecido com alívio. o momento de
suspiro depois de dias em que o único caminho parecia o
seu. dias em que não conseguia me enxergar, tudo tinha
um pouco da sua voz, do tato, do dna. são quase seis da
tarde de um junho inimaginável. o sol lá fora já se deitou
sobre o céu, uma música lenta e calma invade o quarto e
põe até a mais profunda tristeza para dançar, mas nada
é triste por aqui. nada é suficientemente doloroso que me
traga a sensação de que te perdi. porque a verdade é que
eu nunca te tive, meu bem.*

texto para curar a língua

você queria que ele levantasse o tapete da sua voz para descobrir aquilo que não estava sendo dito. você rezava, entrecortando o próprio fluxo de pensamentos, pedindo: que ele entenda que peço socorro. você não pediria, assim, de maneira tão explícita. não se colocaria neste lugar tão humilhante, pensava, porque se mostrar tão vulnerável era como pedir para ser abandonada. e então pedia. que ele compreendesse seu discurso para além das palavras "estou bem". pois você não estava bem e não sabia como levantar a mão. tinha medo de não ser levada a sério, como aconteceu nas primeiras vezes em que tentou balbuciar alguma coisa na aula da faculdade, mas ninguém ouviu. e você passou anos engolindo oceanos infinitos e territórios conflituosos pois não sabia como vociferar que uma adaga morava no peito, que uma lança lhe arrancava o ar toda vez que acordava da cama, que uma faca lhe cortava a pele toda vez que se sentia sozinha em casa, no supermercado, nos bares, nas festas, na superfície das coisas, do mundo.

então você contava o básico, o superficial, o aceitável. *você ficou boa em dizer aquilo que as pessoas gostavam de ouvir.* virou mestre em entender sobre a percepção dos ouvidos alheios, o que os mantinham vivos em uma conversa. dizia amenidades como olha que tempo agradável, que desgoverno é esse, está tudo bem no trabalho, em casa está tudo em ordem. você manipulava a escuta alheia como uma jogadora de esgrima. afiada, dava aos outros a superficialidade da vida. o que era raso, primário, visível. mas estava cansada. estava exausta do fingimento e de precisar se colocar embaixo de si mesma para não se mostrar. queria se mostrar e ser de verdade, pela primeira vez em anos, com alguém. queria levantar a mão no meio da sala de aula e falar com os pulmões cheios e a boca intrometida e os olhos curiosos que queria alçar o corpo e lançá-lo no espaço mais denso, profundo e pouco habitado do ser humano. e foi dizendo coisas sem sentido, banais, perecíveis, ao mesmo tempo que pedia, distraidamente, que ele enfim quebrasse a quarta parede, o clima, a linha razoável que nos mantém vivendo como animais sem a perspectiva do mergulho. você pedia, com olhos gritantes e mãos abraçadas à sudorese, que ele me pergunte que ele me pergunte que ele me pergunte como verdadeiramente estou. você vislumbrava o momento em que ele, de fato, o faria. você até se emocionava com a possibilidade de, enfim, soltar todos os monstros que moram dentro do peito e alimentam-se da sua angústia. você permitia, vez ou outra, que uma lágrima escorresse pelo rosto, para que assim ele pudesse perceber que algo em ti já não estava bem, que algo em ti morria como morre a parte do oceano que conhece o plástico e o descaso do

textos para tocar cicatrizes

homem. enquanto dizia sobre as compras da semana, o preço da carne, a terapia e a evolução da sua saúde mental, queria, em fato, dizer que uma dor está alojada há anos em uma membrana sua que nem mesmo você sabe onde está. que abandono é uma palavra-membro na sua família e que sua mãe dançou com ela antes de te deixar. que seu pai foi o primeiro homem a proferi-la, depois de uma briga, e nunca mais voltou para casa. você queria libertar os traumas todos que ferem das células aos tecidos, dos pensamentos verbalizados aos que sequer se atrevem a existir. você queria alguém que pudesse te ouvir sendo miserável, deprimida, magoada, ressentida. cujos ouvidos pudessem suportar confissões, desembaraços, dores crônicas e insuportáveis, universos impossíveis e outras realidades que você inventa, vivencia e é. era triste que ele não pudesse te ouvir. que a língua dele não se levantasse no meio da multidão para te perguntar e, assim, te arrancar da normalidade da vida. que o músculo guardado na boca não servisse para nada a não ser existir meio morto, sem vida. porque a sua língua também está morrendo por não dizer todas as coisas que gostaria. então de noite, pouco antes de dormir, o travesseiro é a única presença, a mais rápida, efetiva, importante que seu grito conhece. e você *grita grita grita*. chora. desaba humana. desaba inteira. desaba firme em seu propósito único, máximo, de ser ouvida. era triste que ele não te perguntasse onde dói e onde repousam todas as suas tristezas. onde nascem os rios e desaguam os terremotos, furacões, tsunamis. onde a ponta do iceberg degela e, enfim, encontra-se com a infinitude das emoções. você queria que ele abrisse a boca e ecoasse as letras amontoadas, dando as mãos umas às outras, formando a frase tão desejada. está tudo bem? cortando o ar, estilhaçando de esperança até o mais incrédulo indivíduo, partindo ao meio a nossa anacoluta vida, a nossa frágil vida, a nossa rasa vida, a nossa infeliz vida. mas ele não perguntou. ele não retirou você de si mesma, em um movimento de quem sabe que há mais segredos a serem revelados. ele não prestou atenção à sua voz suplicando por uma atenção que não rodopiasse com o que de mais superficial existe no mundo. ele não puxou para fora os monstros e dores que seguem te corroendo.

poeira

eu não vi a tempo. eu não reconheci os sinais, fechei os olhos para não ver o que estava debaixo do meu nariz. me faltou a sensibilidade ou a coragem de levantar o tapete e sentir a poeira de tantos meses que se acumulava; abrir a porta e enxergar, bem ali, todas as discussões que não tivemos; perceber que você nunca me conheceu ou conheceu os meus sentimentos de tristeza, insegurança, solidão.

eu fingia muito bem.

passei meses acreditando em tudo o que você dizia, mesmo sentindo, internamente, que algo estava fora do lugar – mesmo achando que esse lugar era eu. passamos por festas, aniversários, reuniões entre amigos, viagens e momentos onde nosso relacionamento parecia certo. onde nossas mãos se encontravam e eu conseguia sentir paz. ainda assim, quando voltava para casa, o caminho era indigesto. a solidão apertava meu pescoço, eu me sentia sozinho, a conexão de que tanto falam não me acompanhava pelo trajeto, os sinais divinos falhavam em sua tarefa de me fazer acreditar.

quis tanto acreditar. quis tanto que você fosse para mim da mesma maneira que a areia da praia anseia pelo abraço das ondas, pelo momento incandescente em que a fotografia revela a magia do encontro. do mesmo jeito que um céu só é céu quando um pássaro resolve voar do galho rumo ao infinito azul. e eu quis tanto que minha fé, afinal, sobrevoasse a realidade. cobrisse, de amor e devoção, as lacunas que nos moviam, os espaços que também eram nosso sustento. amor e companheirismo, no fim, não nos salvariam de todos os problemas que silenciávamos porque era conveniente seguir.

e seguimos, por tempo demais, acreditando na história errada. escolhendo o ângulo que melhor nos representasse, nos colocasse no conforto das nossas zonas, suficientemente próximos para não nos darmos conta dos estilhaços que carregávamos, ainda assim distantes do sentimento real e honesto a que devíamos nos apegar.

ficamos por apego, ego, facilidade.

permanecemos porque os horários batiam, as agendas se encontravam, os amigos eram os mesmos, as festas conheciam nossos pés, as ruas sabiam nossos nomes, os lugares conheciam a mim e a você, o mundo nos adorava.

ficamos pois olhavam para nós e nos admiravam.
falavam que éramos o casal perfeito, exemplar; que
o amor finalmente havia encontrado duas pessoas
dispostas e afins. pois você fazia parecer fácil demais
e porque eu estava sempre cedendo, percorrendo
caminhos pedregulhos, territórios desconhecidos que,
por você, viriam a se tornar familiares; que, por você, se
tornariam a minha casa, meu lar.

<u>mas eu não estava em casa.</u>

eu estava perdido tentando entender por que mesmo
juntos há tanto tempo em mim ainda morava a sensação
de que não éramos um para o outro, de que nunca
fomos. em mim existia a descrença de que mesmo
ignorando os espaços, tudo daria certo no final.

mas, agora que tudo foi embora, me pergunto como não
vi antes. como não percebi que, além de não estarmos
no mesmo lugar, eu estava sempre um pouco à frente,
mais entregue, mais real, mais de verdade, mais na
sua casa do que na minha, mais na sua rotina do que
no meu cotidiano. que as mensagens, as viagens da
minha casa à sua, as transas, as séries que assistimos,
as comidas que pedidos nos aplicativos de delivery, as
praias que fomos, mesmo os fins de semana em que eu
passava contigo, diziam mais sobre minha facilidade em
me desdobrar por você do que você por nós.

no entanto, estava aqui esse tempo todo. a ausência de
um sentido palpável ou falta de uma genuína vontade de
construir um relacionamento para além do superficial,

para além da primeira camada onde todos veem e admiram. a inexistência da confiança necessária para manter duas pessoas unidas e energizadas. a escassez de uma honesta ligação que pudesse fazer com que nos conhecêssemos tanto, e de maneira tão profunda, que hoje não estaríamos, aqui-agora, equidistantes e equivalentes nas próprias ruínas. separados, intocados, profundamente exaustos e cansados para tentar de novo, tentar alguém, tentar o amor ou simplesmente a vida.

uma hora a poeira precisa irritar o nariz.

medo

eu já não sinto medo. eu já não sinto os pés regressarem, sozinhos, rumo ao caminho que sempre construíram. eu já não sinto que é sobre perda, sobre quem levantou a mão primeiro e foi embora, sobre quem apagou a luz, sobre quem abriu a porta, sobre quem desplugou a memória e seguiu. porque tem esse frio na barriga, no intermédio de uma ansiedade e outra, no coração de todas as agonias que já antecederam este momento, mas não está aqui agora. faz frio no Rio de Janeiro. uma nuvem espessa e ácida isola minha casa em um sentimento que parece solidificar todos os presságios. o frio na ponta da derme de dias atrás coagulou justamente hoje. o corpo humano tem formas incríveis de nos ajudar, sobre tudo. trens chegam agora na Central do Brasil. milhares de pessoas se atravessam sem saberem que dentro de si mesmas há pontas se desconectando; histórias de anos, meses, semanas, minutos, tudo se contraindo, tudo deixando de estar. *as coisas deixam de estar*, certa vez li num livro de filosofia. então por que você ficaria? se as coisas, este mundo infinito, os amores imaginários, os amores reais e profanos, nada existe se não fizer chover, se não fizer ir embora, se não fizer a parte nossa chorar, silenciosamente, enquanto o mundo lá fora desaba? vê? tudo está terminantemente conectado. todas as histórias; as faltas ausências fracassos derrotas tristezas angústias medos e abandonos; tudo está posto sobre uma linha que nos une e nos aparta. hoje eu não sinto medo de andar sobre ela. pois você já passou por aqui, sem mim, e eu entendi a mensagem. o céu de hoje chora a gente, meu bem. dias atrás eu já sabia disso.

textos para tocar cicatrizes

ileso

você acha que consegue sair ileso do fim
até se dar conta de que está com o
corpo mole e ansioso na manhã de uma terça-feira
onde o trabalho te chama e a vida corre lá fora

você se pega rezando a um deus
que até então não acreditava existir
pedindo que a dor e o trauma
passem rápido porque seu estômago precisa
voltar a ter fome
e as mãos precisam voltar a
segurar a própria respiração

acha que consegue sair intacto
de um coração quebrado e uma dor
inevitável
porém se percebe com a cabeça pendida
na janela do ônibus
chorando como se não tivesse vergonha

de ter uma plateia de desconhecidos ao seu redor
te fazendo perguntas
tentando entender o que está acontecendo

mas nem você sabe o que aconteceu

o que se passou entre aquela primeira sensação
de que o amor não te levaria nada
seria calmo e leve
bom e eterno
para esta, a de estar em um inferno
sem a paz que te habitava antes dele
ausente no próprio espírito
na própria casa
e em tudo que quiser tocar

o que aconteceu?
você se pergunta

em qual espinho eu afundei forte
o pé e esqueci de tirar?
você se questiona

como cheguei ao fundo do
poço por alguém dessa maneira?
a voz ecoa no primeiro
pensamento logo cedo

e hoje ainda é quarta-feira
há trabalho em cima da mesa
e-mails na caixa de entrada
e milhares de memórias

textos para tocar cicatrizes

que precisam ser apagadas
e libertadas
para que você, então, finalmente, consiga
seguir.

vício

eu achei que pudesse te fazer desistir da ideia de viajar a
outros cenários sem sair do lugar
te convencer que minha língua era a única falésia
possível em que
você poderia descansar do terror da vida e de tudo

eu pensei que poderia te domar
colocar cabresto em seu desejo
pegar pelas rédeas todos os impulsos
trancá-los em projeções injustas e vontades absurdas

eu achei que meu amor serviria para outra coisa além
do sexo e das pernas abertas em uma sexta-feira à noite
que meu amor poderia nos salvar da aventura efêmera
que é se relacionar com alguém cujo choro não alimenta
uma terra
e cuja boca nunca sentiu um furacão dormir na
superfície dos lábios

textos para tocar cicatrizes

eu achei que pudesse te curar do vício e das horas
seguidas de emoção
a que seu corpo está acostumado quando dança a
música da noite
que poderia dosar seus impulsos de sair de casa
à procura de
qualquer que fosse a distração, o momento catártico,
o prazer lisérgico
que conseguiria entrar na frente de todas as suas guerras e
evitar as discussões, os lapsos de memória, o fim

meu deus, como eu achei que poderia evitar o fim

evitar a ruína de nós dois
a queda da construção mais bonita da cidade
de São Paulo
o desmoronamento dos sonhos infinitos e dos dias
em que nós fomos verdadeiramente felizes

> *eu achei que por ter te feito feliz um dia*
> *você nunca abriria mão de mim*

que por ter te colocado como deus em um altar feito à mão
você nunca teria coragem de abandonar o culto
e ir embora

eu pensei que, dessa vez, você me escolheria.

para além das noites de intimidade
e da última gota de suor que dizia:
"um tsunami passou por aqui"

para além da bebida que compartilhávamos na balada
e dos cigarros que nossas bocas dividiam em sinal de
respeito ou reciprocidade
para além de todas as vezes que fiz suas pernas
tremerem de tanto amor doado
e os pelos da perna molhados em sinal de redenção
para além do soluço que causei em parte do seu peito
e da calmaria que trouxe à sua vida quando tudo em
você era uma
sucessão de trovões e pancadas de chuva

eu achei que pudesse te resgatar da ressaca do mar
e dos dias infelizes onde o corpo, vazio da adrenalina,
procura pilastras para se apoiar

onde as ondas, depois de tanto quebrarem,
mostram, enfim,
a fraqueza que as compõem: sua boca, meu querido,
ainda procura outras
formas de se saciar

eu achei que conseguiria te
libertar do mundo
que envolve sua língua

mas não consegui

o amor era sublime demais para enfrentar batalhas
perdidas, para perdidos como nós.

Vesúvio

às vezes é difícil crer que aquela pessoa já não faz parte
da sua história-presente.
ficou estática, como uma fotografia, em um passado
que não se resolve mais. alguém que um dia sentiu o
cheiro da sua pele, ouviu seu coração pulsar de tremor
ou ansiedade, te preparou para o momento, expectante,
do voo.

e você voou, meu deus, como você voou.

o corpo finalmente dialogando com a gravidade,
dançando com o vento,
enlaçando as mãos no universo –
aquele microssegundo que seu
espírito sabe que foi feito para viver.
aquele átimo de segundo que sua pele entende o gosto
da palavra salvação. aquela fração, minúscula, do tempo
em que seus olhos finalmente avistam algo no qual se
agarrar e vai.

textos para tocar cicatrizes

por isso dói esse pensamento. pensar em alguém que te fez flutuar e que não está aqui é como dizer ao próprio corpo:

"não há como voltar ao infinito.
não há como recuperar o momento lancinante,
a adrenalina sufocante,
a força intrínseca dos mundos voltando a existir porque o
amor também existia".

dói porque pensar é viscoso e irresolúvel. você não vai voltar para ele, para o momento que se sentiu vista e desejada e querida e infinita. os tsunamis no peito, as maresias nas veias, os vulcões nos ossos, os furacões na palma das mãos. nada disso é possível no agora, no hoje, neste dia triste e infeliz que há de se viver. parece impossível voltar àquela vez que você se sentiu como se estivesse sendo movida por deus ou por uma força divina e sobrenatural. o amor que você tinha por ele moveria montanhas, versículos da Bíblia, muros que separam países, pais e conversas difíceis. o amor que ele tinha por você moveria móveis, cômodos, apartamentos e cidades inteiras. no entanto, aqui estão vocês, geograficamente tão perto. romanticamente, tão distantes, separados por mágoas e tristezas inteiras.

às vezes é difícil crer que te perdi.

se volto um pouco a memória, estremeço com a constatação de que nada será como antes. que, de alguma maneira trivial, porém profunda, magnética, espiritual, nunca mais meus olhos vão vibrar ao ver alguém como te vi. não da mesma forma. não como a lava escorre pelo vulcão, dizendo, ao mesmo tempo, que pode queimar tudo e todos; que pode acabar com vilarejos e sociedades, mas que pode pavimentar novos caminhos, erguer novos horizontes.

— foi assim que os moradores da cidade de Nápoles, na Itália, descobriram que era possível resistir: fizeram da destruição do Vulcão Vesúvio, no ano de 79, uma nova cidade, erguendo sobre ela novas vidas e sonhos e memórias. erguendo sobre o solo aparentemente danificado histórias sobre como ficam as pessoas que, apesar de tudo, tentam a vida e o amor.

me pergunto, então, se é assim, reflorestando um pensamento, tentando erguer muros e novos sentidos para a minha existência, tentando reviver uma irrisória parte da sensação de estar vivo, que te recupero. se puxando o elástico do tempo o máximo que eu conseguir; se esticando a membrana do coração o mais forte que eu puder; se pensando do jeito mais profundo que habita em mim, há algum modo de se conseguir chegar ao centro do que tive quando estava com você. se pelo menos um pouco daquele momento, do voo, do peito quente e das noites infinitas, do sexo mais íntimo do que quando as mãos se conversam, dos abraços mais apertados que os olhos quando um em cima do outro, voltam à tona, voltam a mim.

textos para tocar cicatrizes

volta?

demoro a acreditar que nunca mais seremos eu e você
contra o mundo.

*nunca é uma palavra maior do que cinco letras que se
uniram para dar sentido às coisas.*

nunca é uma passagem de tempo impossível de
pronunciar. uma cidade em guerra, que abandona a si
mesma para não se ver derrotada e sem os filhos que
não voltarão. é um tiro cuja bala não chega a tempo de
vitimar seu alvo: o que tivemos, no passado, ficou lá,
ardendo em sua própria ruína.

eu não tenho nada agora.
nada.

eu não tenho você, eu não tenho nós, eu não tenho teus
olhos verdes, eu não tenho tuas mãos pacíficas, eu não
tenho a tua risada acordando todas as minhas ausências,
eu não tenho você.

eu sou o morador da cidade destruída que ficou para
contar a história.

sou eu a própria bala, que não atingiu o alvo porque
presente e passado são linhas horizontais que jamais se
encontrarão, novamente, no curso da história.

e eu me pergunto, todos os dias, enquanto o
pensamento envolta o presente: será que haverá outra
oportunidade para voar?

meu corpo tem saudade de entender por que está vivo.

Clementine

desta vez eu não choro desta vez eu não me perco
tentando entender os motivos porque querer entender é
continuar dando poder a quem me partiu ao meio.

desta vez sigo a vida e apago as memórias fotos dias
viagens projetos planos brigas amigos países inteiros
guerras colossais. à la brilho eterno de uma mente sem
lembranças eu sigo, apenas sigo, sem olhar para trás e
analisar o tamanho da dor, seu perímetro, a densidade
de sua própria existência. apenas me conformo, não
brigo com o universo, não discuto com deus, não
peço conselhos terapêuticos, não digo nada nem aos
melhores amigos. a versão de mim que as pessoas
terão depois de você será incólume, impassível, vazia
de questionamentos e avessa a qualquer possibilidade
de lágrima. não choro teu nome, não grito aos quatro
cantos sobre o que você fez, nem mesmo ao meu
silêncio eu dou o direito de te celebrar. eu vou te
apagar de dentro de mim. é isso. pela primeira vez eu

textos para tocar cicatrizes

vou precisar enterrar alguém, uma história, a história
dos teus olhos, a curvatura do teu sorriso quando a
gente conversava sobre constelações às sete da noite
na varanda do teu prédio olhando o Cristo Redentor,
o formato dos teus braços fazendo qualquer trabalho
doméstico. deleto agora todos os banhos debaixo
do teu chuveiro quebrado, cuja água estava sempre
mais para o frio do que para o quente, os cigarros que
compartilhamos à beira da janela, as discussões sobre
política, os *fast-foods* no lugar das dietas saudáveis,
as cervejas em promoção nos aplicativos para celular,
as festas nas quais eu passava mal de ansiedade ou
simplesmente medo do mundo. nenhuma versão de
mim que esteve contigo permanecerá comigo. mato
também a pessoa que chegou um dia a acreditar no
teu amor ou no que você tinha a me oferecer. encerro
as expectativas desenhadas à mão, os UNOS que
jogamos antes de sairmos para qualquer social na
casa dos amigos, as vezes que dormimos depois das
três da manhã rezando para que o dia seguinte não
chegasse tão cedo, tão logo, porque tínhamos sono e
precisávamos descansar. eu mato aqui, neste texto, todos
os sonhos que despontaram em minha mente sobre
ter filhos, um apartamento grande e uma vida plena
para aqueles que amaríamos daqui dez anos. mato em
mim a versão que criei para que você me amasse mais.
me desfaço dos movimentos por atenção, a carência
dissolvida no amor servil que estava aqui para tudo, as
horas que te doei pois achava que o amor se aglutinava
em pequenos gestos do cotidiano. porque achava que
doar era mais importante do que receber, mesmo que
eu fosse o quarto colocado na prova de natação, aquele

nadador prestes a ganhar o bronze, no entanto o perde por centésimos de milésimos de segundos. você estava sempre em terceiro lugar. sempre à frente, em outro mundo, esperando pelo momento que eu fosse me cansar. eu estava cansado dentro de um relacionamento que não me fazia sair do lugar. com falta de ar dentro de um apartamento que tinha mais janelas do que portas. mais infeliz contigo do que podia contar àqueles que me amavam. você forçou cada pequena situação para que eu fosse me cansando de nós e terminasse, sem forças, sem nada. e o amor evaporou qualquer das vontades, sumiu com qualquer dos esforços, pulou no mar com quaisquer que fossem os resquícios de paz. então dessa vez eu não choro. não cedo lágrima alguma à minha pele ou a esta história que acabou muito antes de eu subir os andares do teu apartamento dizendo *não dá mais*. você fez com que não desse mais meses antes, mesmo assim me manipulou para que eu ficasse mais e mais e mais até eu perder identidade, amor-próprio, vontade de viver. você me mantinha por perto sob o pretexto de me amar, mas nunca me amou de verdade. amar é um verbo no qual tua língua nunca se enrolou, embora você como estrangeiro fale muito bem a minha. então não choro. então te mato aqui-agora. mato toda a nossa história com o coração seco e os dedos elétricos, efervescentes. te apago como a Clementine apaga o Joe. te apago como quem esquece uma rota importante, o único caminho de acesso ao coração da própria dor. te apago como se apagasse uma digital, a morte de um animal indefeso, o dia fatal em que duas pessoas perdidas e cansadas decidiram se encontrar.

textos para tocar cicatrizes

o desencontro

mas era esperado que retornassem como se precisassem, uma vez mais, descobrir um o gosto amargo do outro, o cheiro etéreo, as palavras secas alarmando a garganta, a tosse que enerva o corpo quando a pele vai avisando que um deles irá embora. era esperado que a lágrima caísse dos olhos e fosse encontrando os poros, preenchendo os vazios que rodeiam onde nascem e morrem todas as inflamações, para enfim escorrer pra boca e amargar a língua, talvez o palato, chegando no início do esôfago e morrendo no centro do coração. era esperado que as mãos tremessem em sinal de queda ou redenção, porque finalmente algo ali queimaria para nunca mais retornar, algo ali quebraria no chão como um pirex de vidro que esteve por anos guardado e finalmente fora usado, algo ali se espatifaria no chão como estrelas que caem de alguma dimensão longe e ao mesmo tempo pertíssima de nós. quando ele abrisse a boca e a voz pigarreasse o que esconde as submersas, duras, sonolentas, infernais, subterrâneas

palavras: acabou. era esperado que deus chorasse e que
seu choro despencasse o céu na cabeça dos amantes, dos
amados; que as lágrimas de deus se juntassem ao sal do
mar; que a profunda tristeza de deus alimentasse ainda
mais a amargura do mundo e que a frustração de ver
seus filhos se despedindo traria ao planeta ainda mais
rancor. era esperado que quando os dois se abraçassem
pela última vez os tsunamis levantassem, esbravejantes,
reclamando o direito de existirem. e então acabariam
com todas as orlas, praias, enseadas, condomínios e
amantes da brisa, da areia e de tudo que voa; as placas
tectônicas, bravias, também se mexeriam em sinal de
loucura, tristeza, rejeição. como pode o amor ir embora
assim. como pode a dor do amor de repente transpassar
a espinha dorsal, o momento antes da sinapse avisar
do cheiro e do toque, a memória pouco antes do
sono finalmente vir e estancar o corpo por horas em
suspensão do mundo. era de se esperar que as células
de seus corpos provocassem uma rebelião. tirassem
o oxigênio do sangue, convertessem em mistério
toda a vida que habita o corpo humano, retirassem
dos tecidos a capacidade de existir, subtraíssem deles
toda a aptidão em respirar, transformando o ar em
desespero, transformando o fim, a falta e a ausência
no princípio da morte, no princípio do fim da vida de
cada um que ali se entregava à fatalidade das relações.
era de se esperar que o sol derretesse e a lua virasse
sangue, que o céu deformasse o que chamamos de dia e
que a noite se estendesse sobre nós como se fôssemos,
agora, seus eternamente. como se, agora e para sempre,
estivéssemos debaixo de um enorme e gigantesco
cobertor de mágoas.

textos para tocar cicatrizes

mas também era de se esperar que voltassem uma vez mais à ideia um do outro. o suor de um conhecendo o gosto e a novidade do outro, como se, separados, tivessem adquirido outro sabor, tato, conveniência. como se, durante os três meses que os separaram, tivessem adquirido outro DNA, pele, desejo. era, certamente, outro desejo ali, outra agonia entrelaçada, outro espasmo que se avolumava. e então iam eles, pra se provocar, se reaver, se reacostumar àquela que seria, talvez, a última vez que faziam aquilo. a última vez que se despediam, a última vez que transariam no chão do apartamento, depois na cama, passando pela cozinha, terminando no banheiro; a última vez que tragariam o mesmo cigarro, conversariam sobre o livro de Clarice Lispector que tanto amam, dariam risadas sobre a situação caótica do país, a rotina de trabalho de ambos, a comédia que é o amor em tempos tão sombrios. era certamente a última vez que se olhariam com a profundidade de quem se joga em uma piscina olímpica, de quem se joga do último andar de si mesmo, de quem se joga da sacada, da calçada, de tudo que arde o peito e destrói. era de se esperar que retornassem ao princípio das coisas, de quanto tudo começou, lá em fevereiro, no carnaval de 2019, quando sexo foi uma palavra colocada para escanteio, trocada por paz, afeto, carinho ou simplesmente respeito; lá no começo de tudo, quando por dois meses transaram em todos os cômodos da casa; quando tocaram a pele um do outro de maneira tão sutil e densa que os mares do mundo todo se abririam para reverenciar o encontro de duas pessoas que souberam como se sentir. era esperado, então, que depois de meses pudessem retornar,

atordoados, apaixonados, carentes e sozinhos, solitários
e cheios de ranhuras, trôpegos e perturbados, com o
coração cheio de vazio, com a pele carregada de marcas
de projeção, com as falas na ponta da língua e o medo e
a falta de paz e as crenças e as expectativas e tudo, tudo
queimando o peito como se tivessem chegado no centro
do universo, resolvido o mistério da vida, descoberto o
paraíso de deus, encontrado outro planeta.
era de se esperar que deus chorasse, tsunamis
destruíssem a terra, placas tectônicas acabassem com os
continentes e os olhos se encontrassem e conversassem
uma vez mais.

era esperado que ficassem juntos por toda a eternidade,
mas o tempo corria feito criança e nada disso aconteceu:
um deles não soube como voltar.

textos para tocar cicatrizes

eu estava prestes a me apaixonar por você

como quem finalmente ergue a cabeça para fora do mar
e, agradecendo entre as sinapses se esbarrando, se dá
conta de que a agonia do afogo está indo embora

como quem, finalmente, chega ao topo da montanha
que escalava por dias e, por fazê-lo, se perde na
contagem do tempo
das horas e dos presságios

eu estava prestes a colocar a ponta dos pés no
chão, depois de meses descendo uma pedra difícil,
escorregadia, feia, sem plateia alguma

um sopro no meio do deserto quente

um abraço depois de anos sem saber sobre a anatomia
do afeto; sobre como quando nos estendemos na pele de
outra pessoa e o toque é imiscível. nada se mistura, mas,
ao mesmo tempo, tudo se funde e vira amor, paixão,
desejo ou simplesmente ânsia

eu estava prestes a sentir o coração pular para fora do
peito, do espaço concedido pelo universo a pessoas
como nós, distraídas e entregues a qualquer brisa de
mar, choro de céu, chuva de paz

você era minha paz às sextas-feiras enquanto o mundo
caminhava rumo
às drogas e às festas e a tudo que rasga o peito e não
volta para suturar

você era meu sábado pela manhã, o sol tilintando a
graça de deus na janela e seus olhos sendo o único
motivo pelo qual eu queria ser salvo. eu não tinha fé
nenhuma no mundo, mas em você eu era o cristão mais
fervoroso da igreja, eu era os anos de história que o
catolicismo escondeu, eu era o inferno para aqueles que
acreditam na possibilidade do pecado

você era meu pecado antes mesmo de eu entender sobre
a tempestade que se forma quando dois homens se
beijam pela primeira vez

a oração para que a dor disso que me consome não me
matasse novamente

mas você me consumiu.

feito gasolina de navios dos quais não sabemos sequer
o nome, desses grandes que circulam em mares que
também desconhecemos. Madagascar, Seychelles,
Papua Nova Guiné ou Palau. eu fui consumido da
mesma forma como a energia foi queimada em países

textos para tocar cicatrizes

que não encontramos no mapa, apenas recriamos na
memória para não sucumbir.

fui consumido como consumidas são as estações do ano
por aqueles que não são à flor da pele e do céu.

eu estava prestes a entender por que você, por vezes,
para o rosto no ar e me olha lento. por que enternece
o olhar e sorri, desajeitado, como se guardasse
um segredo.

qual é o segredo?

eu quase soube onde você afundou todas as mágoas,
irrecuperáveis.

onde colocou os traumas e os embebedou, precisando,
depois, dar-lhes banho, colocá-los para dormir,
esquecer, ir embora, nunca mais voltar.

como o jogador que finalmente acha o gol
após incessantes 90 minutos,
os segundos finais da prorrogação,
as luzes do estádio quase se apagando
a plateia que comprou o bilhete, mas perdeu o
espetáculo, a devoção, a luta desgarrada de alguém que
queria o troféu, mas também a redenção, as lágrimas
todas e, consequentemente, a vitória.

mas não teve gol.

não teve teus olhos adormecidos nos meus, encharcados de amor ou entrega.

não houve tempo suficiente para que pudéssemos nos fazer feliz.

textos para tocar cicatrizes

é impossível esquecer aquilo
que não foi embora

era preciso um pouco menos de vaidade. um pouco
mais de honestidade já livrava os dois de apodrecerem
na miséria que é o esquecimento a qualquer custo, às
custas de outras pessoas. eles não teriam caído no lodo
que é tentar rápido demais com alguém tão igualmente
machucado e distraído; não teriam caído no erro de
correr para o primeiro que tinha saliva no beijo e
desejo no corpo; no primeiro cuja boca não amargasse
o terror do trauma que é ser profundamente amado
um dia. era triste que caminhassem assim, tão alheios
agora, tão cheios de dores, tão completos em suas
convicções levianas sobre quem estava curado e quem
ainda estava no meio do caminho. mas ambos estavam.
ambos perdiam partes importantes de si mesmos nesta
tentativa falha chula pobre seca de sair por aí dando
o primeiro beijo tendo a primeira transa satisfazendo
a primeira solidão que apareceria para confrontar
consolar ou simplesmente ferir. se eles tivessem sido

um pouco mais verdadeiros nos motivos nas razões
nas respostas nas perguntas no olho no olho no boca a
boca; se eles tivessem deixado de tentar quando o mel
foi embora do corpo da abelha quando o céu carioca
parou de ensolarar quando pararam de se chamar e
observar no meio das festas, quando o sexo era apenas
uma demonstração de como ficam as pessoas que não
têm conexão empatia respeito nada. se eles tivessem
se abraçado forte com a paz daqueles que tentaram
demais o amor que tentaram demais o amar, se tivessem
despido a lágrima colocado para fora o soluço de tantos
meses o mau hálito os maus hábitos a má fé, se tivessem
segredado um ao outro que o amor se transformou
em nada mais do que admiração e que era por causa
dela que eles sairiam ilesos contemplativos amolecidos
extasiados enfim tranquilos, porque tudo acaba tudo
vai embora tudo quebra e desmancha e destoa e descola
e se desfaz. então eles teriam se desfeito em pequenas
partes não muito pequenas para não serem difíceis de
encaixar de volta, colar, restaurar, e também não muito
grandes, para não ferirem quem quisesse pegá-los no
colo quem quisesse transformá-los em um enorme e
bonito espelho ou quem sabe uma dessas obras de arte
que ficam num lugar muito específico dentro do museu
quase à parte cercada por muros e complexidades. eles
não estariam agora murchos secos infelizes e quebrados.
erradamente quebrados. estranhamentos quebrados.
dificilmente quebrados. não estariam eles tentando com
outras pessoas, todas erradas, um conserto que não vai
acontecer tão cedo tão breve tão logo, a cura para uma
dor que não irá embora jamais, que perdurará por três
primaveras e três solstícios, por quatro luas cheias

textos para tocar cicatrizes

e cinco guerras mundiais, pela descoberta de novos vírus, pelo fim de tantos problemas sociais. eles não estariam, neste exato instante, afogados em gim barato e em vinho de dez reais, chorando tantas possibilidades – e eram muitas – e tantas ausências, imensas, múltiplas, inteiras. um pouco menos de vaidade e eles não estariam tentando em vão esquecer o peso e a dor de ter deixado o outro ir embora, tentando em vão esquecer que o amor é um pouco como a fome: estará sempre ali, esperando a primeira fresta e a primeira festa para aparecer.

saber de mim é o que me resta

sei que te amei às duas de manhã ouvindo *yebba* no
fone de ouvido, escrevendo sobre por que razão eu
permanecia parado no meio do caminho enquanto você
nadava de braços e pulmões abertos, quilômetros à
frente, com alguém que não eu. que senti uma pontada
forte no peito, como se previsse o momento antes da
queda, o centésimo de milésimo de segundo antes da
porta fechada e das fotos rasgadas, o dia em que você
me escreveria uma carta dizendo que não dava mais
para continuarmos a construir nosso castelo de areia
em uma praia bonita e distante daqui. que nas primeiras
noites eu chorava vendo tuas fotos sendo feliz com
ele e me questionava sobre a veracidade do que havia
acontecido, se o encontro tinha sido real. que adormeci
agarrado ao travesseiro que você me comprou quando
foi a Cidade do México, e que nele confortei todas
as minhas dúvidas, abdiquei de todas as frustrações,
despejei medos e lágrimas, me desvencilhei das
projeções que eu mesmo havia arquitetado. no meio

textos para tocar cicatrizes

da madrugada, eu acordava absorto, incrédulo que alguns móveis haviam sido levados do apartamento. e então chorava, de soluçar. parecia carregar maremotos e oceanos inteiros. achei que fosse morrer de tanto chorar, secar até que não restasse água alguma em meu corpo, ser drenado até que sede em mim fosse sobrenome. mas de ti nada soube. não procurei saber por que para você foi mais rápido e instantâneo o seguir em frente. por que para você o caminho pareceu bonito e cheio de luz. por que a rapidez dos movimentos. de ti não sei se doeu, o que quer que seja. se machucou o peito, se feriu o pensamento, se vez ou outra pensou em mim que ficava com uma cidade inteira para iluminar. de ti não soube o cep novo ou se a promoção no trabalho chegou a acontecer. as viagens pela América do Sul e as teorias matemáticas sobre como os casais do mundo estão determinados a se encontrar. se a Colômbia aconteceu em tua vida ou se você se perdeu em alguma ilha no nordeste do Brasil. não sei se me amou como disse e se me quis como escreveu em minhas costas naquela noite de lua cheia. se realmente te tirei o ar como disse na primeira vez que me viu nu e se eu provoquei arrepios na vértebra e na emoção como me contou naquele dia que fizemos amor dentro do seu carro antes de oficializarmos "o nosso namoro entre aspas". não sei de tantas coisas que agora me assolam como se precisassem ser descobertas, mas eu não preciso. não preciso decifrar descobrir ou simplesmente saber de ti ou de tudo o que disse pois nada disso me importa agora. sei de mim. que te amei como nunca e te quis como se não calculasse os riscos e os cortes; como se entrega fosse apenas uma palavra e não um pé no precipício; como se amor fosse apenas sentimento e não uma dança sobre os escombros que não acaba nunca; como se a gente pudesse, mesmo depois da dor, desejar que a vida continue igual ainda que alguém tenha levado partes nossas irrecuperáveis, que se deixam no caminho para não nos atrapalhar. eu sei de mim. que permaneço aqui, com um coração para fazer bater.

textos para tocar cicatrizes

indagações

quem é você diante de uma despedida?
quantas lágrimas você destina àquela
história triste que não deu certo?

você atravessa a rua quando vê um ex-amor
ou continua na mesma calçada porque esbarrar com ele
é um lembrete do universo de que a vida deve seguir
em frente?

quem você se torna depois que um
grande trauma se senta sobre seus ombros
você caminha com eles pela cidade ou
os esconde no armário e
espera até eles explodirem algum dia?

você fala do seu ex na terapia ou conta
dele apenas aos melhores amigos?
você chora quando relembra fotos antigas
você chora quando vê fotos recentes

chora quando descobre que ele vai
se casar enquanto você parou no meio do caminho
e não sabe mais como seguir?

quem é você quando o fim acaba com tudo
o que existia,
menos com o seu corpo,
suas partículas,
seus átomos cheios de vida?

como você se reconstrói depois de um furacão
para quem pede ajuda
quem são os ouvidos que te acolhem
durante uma tempestade
sua mãe sabe que você está viciado em açúcar
seu pai sabe que você voltou para casa
andando a pé porque perdeu a chave do equilíbrio
seus amigos sabem que você está deprimido
porque não conseguiu superar aquele cara filho da puta
que te consumiu, exauriu, quase te matou?

eles sabem que você quase tentou?

deus sabe que você está cansado de viver
esta vida cheia de falsas perspectivas
e projeções do mundo
que você quase se demitiu do trabalho
por causa da depressão, e que pensou
em fugir para outro estado à procura de paz?

textos para tocar cicatrizes

quem sabe que você chora toda noite
porque está deprimido
porque a voz dele ainda estremece na sua cabeça,
tira suas células para dançar, aborrece seus
pensamentos?

qual dos seus amigos está por você quando você precisa
quem é que te leva para casa após uma noite de bebidas
e recaídas
quem te ajuda a limpar a bagunça que fica depois que
você liga
para o seu ex pedindo para voltar?

quem é você depois que cumprimenta na rua
a pessoa que mexeu com seus últimos meses
quando ele vai embora depois de te pedir
perdão pelo término e por tudo
o que você faz com o pedido de desculpas,
com as mentiras que ele contou para amenizar a culpa,
com o fim, que é eterno e vai durar?

uma ferida com o teu nome

*eu não te perdi, garoto,
eu me ganhei de volta.*

textos para tocar cicatrizes

fases

I.
me lembrar de quem eu era antes de você

II.
me lembrar de quem eu era com você

III.
me lembrar de mim depois de você

IV.
não esquecer quem você era e quem você se tornou

V.
voltar novamente para mim.

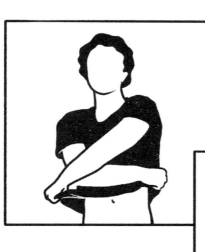

textos para tocar cicatrizes

faxina

a casa precisava de uma limpeza
que não
via há meses e ela aconteceu
duas semanas depois de você

eu lavei as cortinas do quarto pacientemente
e esfreguei as roupas brancas por horas a fio
na esperança de que o abandono também fosse pelo ralo

na cozinha
desempilhei sentimentos e pratos antigos
esvaziei o coração do ego
de ter sido abandonado

na sala de estar
coloquei frente a frente
os impulsos que tive de te ligar
e pela janela joguei a mágoa e a tristeza
de ter sido passado para trás

por fim
foi no banheiro onde consegui me limpar
de todas as promessas feitas
entre um suspiro e outro
no calor das mãos que se moviam
rumo ao prazer

e entendi

eu não te perdi, garoto,
eu me ganhei de volta.

textos para tocar cicatrizes

cacos

alguém precisava limpar a bagunça

recolher
os cacos depois do fim

agachar no chão
se desobrigar da postura correta
ereta
e do orgulho de permanecer em pé
ignorando ali a fratura exposta

alguém precisava fazer o trabalho
sujo de pegar com as mãos
o que deixou de ser amor
para virar incômodo

o machucado
pontiagudo
cheio de tudo

as promessas espatifadas
as conversas fiadas
o fio condutor
do mundo

alguém precisava olhar
nos olhos daquilo que
corta, fere
e dura

fui eu quem
precisei me machucar com o
que agora
posso chamar de cura.

ego

abdicar do meu ego que te amou
como se você fosse a última pessoa
a respirar próxima a mim.

***

arrancar o ego até que não reste
faísca alguma do incêndio
criminoso que fomos nós.

***

deixar de alimentá-lo com
as cinzas do seu amor.

oceânica

mas você já esteve aqui antes
não?

com a cabeça para fora do mar
e o corpo dormente
pedindo socorro
tentando se salvar
da fúria solitária
que é o fim

o cérebro calculando quantos
segundos antes da completa falta de ar
os pulmões indo embora em sinal
de que não há mais nada
a se fazer

você já esteve aqui antes
não?

a água do café secando no fogão
enquanto as lágrimas molham os lençóis pela manhã
o arroz dando errado a cada tentativa de comer
ou permanecer minimamente viva
as ligações na caixa postal e a aspirina
sendo a melhor companhia do estômago

e depois
a mesma música para cobrir a ausência alojada debaixo
das promessas
das memórias
das fotografias penduradas na parede
e os mesmos vídeos engraçados do Instagram
para amaciar a dor de alguém cuja volta é uma
metáfora impossível na linguagem humana:
a fechadura da porta
foi trocada por fortalezas
os mesmos filmes séries discussões livros terapia
presságios presentes
qualquer distração para tirar o peso dos seus ombros
os quarenta elefantes que descansam sobre
seus ossos enquanto você já não tem uma boa noite de sono
há meses: é a ironia de dormir mas continuar cansada

você já esteve aqui antes
não?

colocando o trabalho à frente das consultas médicas
suas dores à frente das saídas com os amigos
buscando desculpas para não pôr o pé na rua,
no coração da vida
ou em algo que te enerve, levante, eleve

textos para tocar cicatrizes

deixando de sair do próprio armário que construiu para
suportar os dias seguintes
usando o expediente como fuga para curar alguma
solidão inóspita
que vive aí dentro e você mal sabe o nome

o que é esta dor
você se questiona

o que é?

mas eu quero te lembrar
de quando, no auge dos seus 17,
o primeiro amor da sua vida
quase te fez acreditar que a glória
não era para você

ele escolheu outra garota
aquela mais bonita e sensual
a mais celebrada e adorada do colégio
cuja presença não precisava de muito para
chamar a atenção dos meninos
que eram moleques em corpo e coração

e você chorou
por dias e dias
se sentindo a pessoa mais abandonável
desprezível do mundo
como se tantos outros também não tivessem
seus corações dilacerados em dias banais
de meses ainda mais frívolos

achando que aquela seria sua sina
para sempre: servir de ponte
não ser caminho
ser atalho
não ser destino final

você já esteve aqui antes
não?

mas eu também lembro que
meses depois
você já estava
novamente
com o coração acelerado
as mãos chacoalhando por terem encontrado
afeto
afago
apego
e finalmente paz
você tinha encontrado o silêncio soberano
e apaziguador de quando o eco da voz não incomoda
mas amansa
acalma
faz dormir

você já esteve aqui antes
não?

e o que muda
é que agora
no auge da vida adulta
dos boletos para pagar

textos para tocar cicatrizes

da terapia às quintas-feiras para
curar traumas familiares
das ondas imensas e furiosas
há também o buraco de não saber
se isso vai te consumir inteira
ou se a dor irá embora daqui umas semanas
como se não tivesse existido
e você voltasse aos 17
com um mundo pela frente
e um mar para vencer

mas você já esteve aqui antes
não?

você é o mar, meu bem,
infinita e preparada
para voltar mais forte e oceânica
no dia seguinte
mesmo depois das ondas
da ressaca
e do fim.

quebradiço

se tivesse quebrado em partes suficientemente
grandes talvez pudéssemos recuperar alguma coisa,
qualquer coisa
se não tivesse espatifado no chão como um copo de
vidro que cai da mão de alguém descuidado
se não tivesse demandado o corte abrupto
rápido e silencioso
talvez nós em alguma conversa sobre como andam
os dias após o fim talvez nós em alguma maneira de
conciliar carinho com vontade de querer bem
talvez algum pensamento bonito sobre querer que o
outro seja feliz
muito feliz honestamente feliz
mas eu não consigo desejar que você seja feliz
na verdade não consigo te desejar nada
não existe nada para você aqui
secou
evaporaram as fotos os diálogos as brigas e
mesmo a distância que nos apartava hoje me causa

textos para tocar cicatrizes

um profundo e espesso nada
quando me perguntam de você eu fecho a boca
e não respondo   nada
quando me perguntam se sei de qualquer coisa eu
silencio e não respondo nada
quando dizem *"vocês pareciam tão certos"* eu
apenas cerro bem os olhos e palavra alguma ameaça sair
não há nada que queira se revelar diante do nome
que se ouve, o teu
não há comoção alguma que dance na minha pele
enquanto falam de ti
enquanto me mandam mensagem dizendo "mas vai
ficar tudo bem"
porque disso eu sei, tudo sempre fica bem.
tudo fica bem para mim que estou acostumado
a passar pela vida como quem entende a tarefa.
que viver
é isto mesmo: continuar perdendo.
mas penso que se talvez você tivesse sido
um pouco mais honesto, se tivesse sido talvez um
pouco menos como todos os outros caras e fosse um
pouco mais como você dizia que era, então
talvez eu te mantivesse em minha vida
talvez eu seguisse a minha sabendo que não
compartilhei meus sonhos com quem nunca
quis entender o feitiço das noites
talvez eu seguisse sabendo que não dormi com
alguém estéril de emoção
já que emoção é um país que teus olhos desconhecem
mas não estou aqui para me apegar ao que não foi feito
quem sabe só um desejo, nesta imensa e grande
aventura,

de que particularmente este término, este fim,
esta ruptura,
fosse mais ameno, pacífico, palatável
que você agora não estaria incomunicável,
intransponível
e absorto em pensamentos sobre como não
permanecerei em tua vida
que agora estaria eu te falando qualquer bobagem
sobre como a gente tentou
mas tentar era uma palavra pequena
e precisávamos de algo maior
de nós maiores.

textos para tocar cicatrizes

Baía de Guanabara

cê não vai saber o que em mim virou pó e o que virou pedra, o que se transformou em memória e o que matei para não virar gatilho, o que tirei de dentro para não me consumir e o que deixei para me lembrar de que nunca mais darei amor a alguém que não quer recebê-lo. cê não vai saber da minha boca há quantas andam o processo de esquecer: parte do teu corpo, cor dos olhos, palavras ditas inoportunamente, falsos diálogos sobre o chão. quais são os flashbacks que me assolam, em qual momento específico do carnaval pensei ter te visto, quem em minha boca virou prece ou devoção, quais e quantas vezes orei para que não te encontrasse, para que enfim pudesse te perder. você nunca vai saber o que em mim virou raiva mágoa ou simplesmente ferida aberta e indizível, que não se revela a ninguém porque sabe tanto de si que prefere a paciência de uma cura que virá lenta e talvez tardia. o que sobre você eu desaprovo e procuro esconder dos outros para que eles, como eu, não te condenem à

falsidade ou hipocrisia,
o que em ti me deixou em chamas e me faz queimar
em outras pessoas, ferver promessas, derrubar
conceitos e teorias sobre felicidade. porque digo assim:
com ele não fui. porque afirmo: com ele o amor me
foi brutal, infeliz, desastroso. porque repito: com
ele sequer conheci o diafragma da intensidade, a
aparência da compaixão. você nunca vai saber como
muitas vezes tenho que assassinar um pensamento
para não chorar. tarde da noite, logo na quarta-
-feira de cinzas, o que precisei ferir para continuar
supostamente curado. as palavras que precisei sufocar
no travesseiro para manter uma postura equilibrada
de quem não volta ao lugar do crime, à cena triste a
qual se submeteu o nosso fim, à terrível sensação de
que rejeição para mim é quase como um pai, sempre
disposto a me machucar. digo às pessoas que me
perguntam de você: não sei. respondo que há quase
um mês estou tentando me recuperar de um fardo
insustentável que se reproduz em minhas costas: há
sempre algum outro cansaço nascendo no meu corpo.
há sempre uma nova tristeza que preciso matar para
não ser morto. há sempre algum começo de choro que
preciso engolir asperamente para não ceder ao fim da
vida. digo superficialmente sobre qualquer movimento
teu, algo como "ele deve ter seguido a vida", "deve
estar com outra pessoa", "deve estar feliz". porque nas
nossas suposições a vida parece tecer sobre si mesma
o destino soberano de que algo extraordinário sempre
acontece depois de uma ruptura. pessoas esbarram
umas nas outras, encontram-se destinadas a ligarem
pontos e corações, a serem felizes não importa como

ou com quem. eu vi uma foto tua sem querer no Instagram de um conhecido. eram cinco e meia da manhã e eu estava na Praça Mauá depois de um bloco de rua. e eu queria ter te dito que mesmo depois de cinco semanas a vida parece não ter voltado à tona. parece uma vida fake acontecendo pra mim, uma encenação que se sabe terá fim após uma hora de espetáculo. mas a tristeza não vai acabar, não agora. não vai acabar a angústia de olhar em qualquer direção durante o carnaval e pensar que talvez você possa estar lá, mas pedir "meu deus, que não seja ele". pois acabaria comigo esbarrar em você e perceber que já não existe nada de mim em teus ossos. que minhas manias foram embora das suas, deram lugar aos vícios de outra pessoa; que meu jeito já não dorme nos teus; que tua saliva ganhou outra textura; que tudo aquilo que não deu certo está entre nós, implorando para ser liberado da energia que dispomos de nos aniquilarmos, esquecermos, deixarmos para lá. você nunca vai saber que eu me sentei no meio-fio da avenida Rio Branco enquanto a cidade inteira sorria e a minha lágrima escorria pelo rosto, como a antítese de um deus que continua segurando minha mão mesmo quando a tua já não está aqui. que eu ri porque lembrei de uma piada que só você entenderia e que, ao contá-la aos meus amigos, nenhum sorriso chegou no coração dos meus ouvidos. que eu estava em um barco na Baía de Guanabara enquanto você estava em outro e que precisamente às 16:25 da tarde ambos se alinharam, lado a lado, como uma metáfora, um aviso, uma oração, um manifesto: mesmo no mar, onde tudo é infinito, já não éramos mais duas pessoas que se amaram, mas sim dois corpos mergulhados em suas próprias solidões.

vapor barato

meu amor
os trabalhadores pela manhã acordarão insones
e cansados para mais uma jornada de trabalho que se
levanta
os ônibus de linha com seus motoristas moídos por
dormirem 4 horas de sono e os passageiros
preocupados com o preço do café do arroz do óleo
infames com os rumos de um país pequeno apesar
de sua grandiosidade territorial
e então a vizinha também abrirá os olhos e
pensará talvez em seu casamento que está ruindo
depois de vinte anos
ela descobriu uma traição depois de ler uma
conversa no whatsapp
e então descobriu outras muitas fotos vídeos
e o pior: o desejo dele de sair de casa
ela queria pelo menos que ele ficasse ali, com ela,
sendo que partir é o pior dos espinhos
é a mão fechada estrangulando o pescoço que se

textos para tocar cicatrizes

preocupou todo este tempo em lhe dar de comer,
passar sua roupa, tocar em seu prazer
e o vizinho, fiquei sabendo, não apenas vai sair de casa
como alugará outra
e nela construirá uma outra família
aquela com a qual sempre sonhou, só não sabia como
meu amor
o mundo vai continuar girando mesmo depois de
nós e do nosso fracasso
por isso não choro nem cedo fervor algum
por isso não me permito chorar ou sequer pensar
na hipótese de adoecer com o fato de que você foi
com o perdão da palavra
um grandíssimo filho da puta
porque eu penso no preço do quilo do frango e no
convênio médico da minha mãe que preciso pagar
penso em voltar à faculdade, trancada há
mais de dois anos
penso em sair do país, viajar, nem que seja
para fora de mim mesmo
penso no discurso de ódio do presidente
e no asco e na fúria do mundo
e então na mediocridade das pessoas na mentira
nas várias versões de nós mesmos que vamos
inventando para caber em círculos sociais
em tribos em legendas de seriados que cansamos de
assistir no entanto continuamos assistindo porque é
triste demais ter o eco da solidão dançando no meio
da sala de casa
versões de nós que vamos criando para ficar em
relacionamentos ruins trabalhos que pagam mal
conversas que não chegam a lugar nenhum
igual esse texto

ninguém liga para nós e para o que deixamos de ser
para o que você me fez
para as mentiras que você esculpiu em minhas
costas para os dias em que você me feriu afastou e
negou qualquer porção de afeto qualquer pequena fresta
de emoção qualquer milésimo de ternura de
carinho ou de simplesmente amor
"não foi amor" eu digo aos meus amigos
terapeuta
seguidores na internet
não foi amor porque não me senti amado
o sentimento não alcançou a segunda pele
a terceira o epicentro do meu ego
o centro do meu orgulho
como poderia ser amor se você nunca se despiu?
como poderia ser amor se você nunca me deixou
te acessar chegar mais perto olhar pela janela
observar como quem entende o que está
acontecendo com a coisa ali observada?
eu nunca te vi de mais perto
nunca atravessei a muralha da China
não ganhei na Mega-Sena
não vi deus
eu nunca soube nada de ti e dos teus olhos
eu nunca soube quem te tocou o coração a ponto
de derretê-lo e transformá-lo em um rio imóvel
eu nunca soube quem te ensinou que para amar é
preciso um pouco de rejeição
quem colocou em tua boca o cinismo a incoerência a
incompletude
quem foi?
quem foi que te amargurou os movimentos

textos para tocar cicatrizes

quem foi teu professor de como ser um babaca
um homem incapaz de cuidar de si e dos outros
alguém cuja infância desdenha do adulto que se tornou
tão irresponsável
tão cheio de si e vazio das coisas bonitas do mundo?
meu amor, mas ninguém liga
amanhã tem jogo de futebol em horário nobre na tv
tem fofoca em instagram de celebridade
tem fome miséria desencontro
tem muitas outras pessoas terminando relacionamentos
nos quais juraram votos fizeram pedidos
arquitetaram sonhos
construíram cômodos tiveram filhos tiveram cistos
tiveram tudo
tiveram fim
amanhã pela manhã o mundo volta à programação
normal
a bolsa de valores voltando a funcionar pontualmente
às 10 da manhã
escritórios mundo afora organizando-se para
receberem seus arquitetos advogados publicitários
jornalistas
profissionais que agora entregarão suas horas de
trabalho ao capital ou ao cansaço
à cólera de que dizia Gabriel García Márquez
à exaustão, como diria algum terapeuta por aí
então é por isso que não me permito doer
não permito chorar e também não permito que
meus amigos falem teu nome
eu digo: que ele suma da face da terra
que ele se exploda, ele e seus joguinhos psicológicos
ele e as suas farsas ele e toda a sua violência

não permito que ergam tua presença perto de mim
não permito que assumam o teu partido não
permito sequer que esbocem sorriso ao redor
do teu espírito
não permito que nada aqui seja para você ou para
o fingimento descabido que foi a nossa relação
o circo onde eu era o palhaço
o espetáculo para o qual havia sido convidado a
participar e só percebi nos minutos finais
afinal nunca fui bom ator
nunca fui bom em muita coisa
mas em esquecer você
em apagar
e fingir que está tudo bem
ah
nisso talvez eu seja mesmo.

textos para tocar cicatrizes

teatro

eu quero te contar que não chorei na sua frente quando a gente terminou, mas que, ao chegar em casa, corri para o banheiro, me agachei no chão e chorei como nunca antes. eu chorei como se o pedaço de céu que cobre o Rio de Janeiro de repente fosse o pedaço de céu que cobre o Amazonas. eu chorei como se não precisasse respirar no dia seguinte, não tivesse que trabalhar, não precisasse de um corpo útil para enfrentar mais um dia capitalista, com suas cerimônias e obrigações sociais.

que eu não falei nada simplesmente para não parecer abalado demais, mas que gritei no meio da rua para estranhos que desconheciam o tamanho da dor que se agarrava no meu pescoço, que prendia meus pés. que tive uma crise de ansiedade andando pelas ruas de São Paulo e que de repente nada fazia sentido. os semáforos pareciam concordar com o estado de calamidade das minhas células e se esverdearam para que eu pudesse chegar em segurança na nossa casa, em um lugar que agora seria meu, um país inabitável, um território em conflito, uma guerra fria que acabava, enfim, com um dos lados derrotados. eu estava derrotado, perdido, desestruturado, mas ainda assim compenetrado na minha própria força e própria dor.

que eu não rebati todas as suas palavras dizendo sobre finais, sobre como poderíamos ser amigos, sobre como poderíamos compartilhar a guarda dos cachorros, que mês sim, mês não poderíamos nos encontrar para falar da vida e das coisas da vida, sobre como havia sido boa a nossa relação; havia sido forte; havia sido terna; mas que chegando em casa, colocando o pé no nossa quarto, eu falei falei falei como se monólogos fossem apenas mais uma camada profunda da vida a que estamos sujeitos quando precisamos desabar. e que desabei rebatendo absolutamente tudo o que me disse. que calculei todas as brigas, ponderei sobre cada discussão, analisei meticulosamente todas as vezes que cedi, mudei, transfigurei, me perdi e sobretudo diminuí para que você coubesse, ou para que eu fosse cada vez menos. que desapareci dos meus amigos, deixei de ir às suas casas, deixei de ligar para os meus pais para contar do trabalho, da faculdade, da parte minha que doía, que tendia ao fracasso, que me abandonei quando decidi viver contigo. que desapareci de mim mesmo, que não reconhecia minhas digitais e não sabia mais como pronunciar a palavra liberdade, que liberdade para mim era apenas uma bagagem perdida de aeroporto que nunca mais recuperamos. eu era a bagagem, eu era a carteira que se perde, mas, de tão ínfima, é esquecida

textos para tocar cicatrizes

no calabouço de alguma memória. eu era a rua deserta por onde ninguém quer caminhar. eu não rebati, mas chegando em casa escrevi tudo, tudo. escrevi que você me aprisionou em jogos emocionais e me fez acreditar que eu era louco. que me traiu diversas vezes, no entanto fez parecer que era minha culpa, que faltava algo em mim, que suficiência e eu éramos antônimos, que estar com alguém como você já estava de bom tamanho. eu só não entendia que você era pequeno demais, mas agora entendo. eu só não compreendia que você era menor do que uma mentira mal contada. que você era egoísta, sádico, imoral, entorpecente. que você era alguém digno de asco ou, como diz, de nada.

por isso me calei diante do furacão dos fatos. e se escrevo, é porque preciso, de alguma forma, levantar muros e conceder ao destino o que lhe é de direito: toda a minha fúria; toda a minha raiva; todo o meu desafeto. pois é preciso deixar sair todas as mágoas, todas as lágrimas secas podres inúteis; pois é necessário deixar que voe qualquer apego que vem junto da decepção. você não me decepcionou, você apenas se mascarou por tempo o suficiente. você não me frustrou, você apenas despejou sobre si mesmo um pouco da miséria humana. eu calei pois nada do que eu diria poderia te ferir o bastante e diante da tentativa, às vezes, o melhor a se fazer é ir embora. pois eu queria que você ficasse ali com toda a argumentação suspensa no ar, solitária de companhia. com as palavras em ordem, no entanto vazias de validação. eu não validaria seu discurso, eu não concordaria com os trejeitos, os silêncios, as vezes que você me machucou, eu não abraçaria o que você

dizia só para você ter com o que contar.
porém você já não tinha nada meu. você não tinha
meus contra-argumentos, lágrima, fronteira alguma,
faísca, chama, fogo, incêndio-tudo. você tinha apenas
o nada, o imóvel, aquilo que não se modifica diante
da vida sendo ela mesma em sua tarefa de esmagar. eu
estava quebrado, despedaçado, largado às traças, no
entanto permanecia inteiro na minha própria fortaleza,
preso, atado à própria condição que criei. eu não iria
sofrer por nós ali, na frente de tudo o que acontecia.
eu não aprisionaria a minha dor à sua estética. eu
não despejaria as minhas lágrimas enquanto você
performava o fim, eu não cederia minhas emoções ao
seu teatro e ao teatro do horror.

escrevo agora, dia seguinte após a cratera, dia depois da
chuva, da água abundante sobre o corpo mole sozinho,
da água que limpou até a mais escondida sujeira: estou
limpo. como quando finalmente o pedaço do céu
carioca volta a ser de novo ele mesmo. quando uma
massa de ar passa pelo país e ruma para o sul do planeta
terra, do universo, do mundo, enfim de nós.

textos para tocar cicatrizes

dívida

não é minha função
te fazer ficar
eu não te devo nada

eu não te devo minhas horas de trabalho
as noites que chorei por ti
as manhãs em que procurei alguma mensagem
e nada pulsava
as tardes onde as plantas precisavam
te ver
porém presença alguma aguava
o caule
amansava a casa

e eu não te devo nada.

não te devo os textos que escrevi
enquanto te esperava voltar
as mensagens escritas e apagadas

tantas e tantas vezes
às segundas e terças
e todos os outros dias
as vezes que dei perda total e gritei
teu nome em alguma balada da Rua Augusta
o choro preso na garganta na linha amarela do metrô
a angústia que me acompanhava durante o trajeto de
quarenta e cinco minutos da linha azul
todas as outras cores do metrô de São Paulo que já me
viram padecer
e ter crises de ansiedade
de ausência
de solidão
os passos dados em direção a algum
lugar, qualquer um, que tirasse você
da minha cabeça
eu não te devo nada

eu não te devo os boletos que você pagou
e as compras de mercado que fizemos juntos
as feiras às terças
e as frutas que comprávamos no fim de semana pois
era mais barato e estavam mais bonitas
as idas ao hortifruti no sábado
e aos domingos o pastel com caldo de cana
eu não te devo os jantares
a lasanha com Coca-Cola nos almoços
a padaria da esquina pela manhã
e todo o ritual que tínhamos para fazer qualquer coisa
nas primeiras horas do dia

textos para tocar cicatrizes

eu não te devo as festas na casa dos amigos
nem as vezes que ficamos chapados
de cigarro ou intimidade
as comemorações de promoção no trabalho
as garrafas de vinho compradas na promoção
do supermercado Zona Sul
a pia cheia de louça
esperando para ser limpa

não é minha função te fazer ficar
eu não te devo nada

nenhuma lágrima que chorei na terapia às quintas das
19 às 20h
o chocolate que eu comia toda vez que uma crise
aparecia atrás de mim e me assustava os pelos do pescoço
os gritos e as brigas e os dias sem se falar
e as semanas se desmanchando na adrenalina de enfim
perceber que estava acabando
que estava indo
tudo estava indo
mas eu não te devo nada

as horas na casa da sua mãe reclamando que uma vez
mais
nós estávamos distantes
afastados
mais distantes do que óleo e água quando colocados
juntos
não nos misturávamos
nem queríamos nos misturar

os passeios de bike pela orla da praia
as vezes que jogamos vôlei com pessoas desconhecidas
e as tornamos mais conhecidas que um ao outro
as tardes no arpoador com cerveja e cigarro
as viagens para Salvador para visitar meus pais porque
você
queria mostrar a eles o quanto os amava
apesar de mim

eu não te devo os discos que você comprou nos meus
aniversários
os vinis da Maria Bethânia e Gilberto Gil
a vitrola que continha um anel de noivado
e todas as histórias
memórias
e tristezas de um casamento que quase deu certo se não
fosse por você
por nós
pela vida

não é minha obrigação te fazer ficar
de repente redecorar o apartamento
mudar os móveis de lugar
colocar o sofá rente à parede
abrir as janelas
ceder ainda mais espaço na cama
e fechar a porta

a decisão continuaria sendo sua
meu bem
a decisão da mão na maçaneta
das malas no centro da sala

textos para tocar cicatrizes

o discurso de quem se perdeu e não sabe como voltar
como retornar ao primeiro momento
ao primeiro instante
à primeira comunhão

a verdade é que nos perdemos
entre os silêncios compridos dos dias que pareciam
inofensivos,
mas que traziam consigo vazios e espaços
indesculpáveis

dias que abriram crateras entre nós e nossos desejos
alargando o espaço que existia na cama
e em nossas almas
apagando a paixão com extintores de incêndio
e beijos mornos
e abraços pequenos
e sexos sem amor
queimando o tesão com pitadas de sonolência
provas da faculdade
e expediente em horários que deveríamos estar juntos
fazendo alguma coisa
qualquer coisa

eu não podia te fazer ficar
você já sabia o caminho até sua outra casa
                                        destino e coração
já havia outra cama esperando pelo
seu corpo ter com quem conversar
outra rede na varanda
e o anseio de te ver descansar
da vida e do perigo da vida

de mim e do perigo
que fomos um ao outro

você já havia decorado o tamanho dos paralelepípedos
o cheiro do pão da padaria próxima à rua
que agora você mora
o aroma dos carros atravessando a pista
e dizendo que a vida não para porque duas pessoas
que se gostaram um dia
deixaram de se compartilhar

a vida não espera a gente
meu amor
e isso é terrivelmente triste
e necessário também

mas eu não te devo nada.
não nos devemos.

textos para tocar cicatrizes

ventos de agosto

fazia sol no meio da semana fria de um mês mais frio ainda. o Rio de Janeiro parece menos cidade quando esfria, mas não havia nada congelante entre nós. o que existia, na verdade, eram duas pessoas que estavam dispostas a se despir em nome da conexão, vontade, desejo, tesão ou simplesmente falta. em minha cabeça, eu perguntava quem já havia tirado uma lágrima dos teus lindos olhos ou feito teu coração cair no chão e se quebrado em mil pedacinhos. quem, qual altura, de qual país, idioma e forma física havia tirado de você o gozo e o prazer, a fome e a ânsia em se saciar, o carinho e o afeto. e por que você estava ali, em um junho pandêmico, sozinho, como eu. e você me disse, pela manhã, rindo, despretensiosamente, que sua maior dificuldade era se permitir ser amado. ruborizou algo logo depois, como se me pedisse desculpas por soltar, assim, do nada, algo tão pesado, mas de fato tão humano. seu medo era tão grande quanto o meu? os muros que você estava levantando eram tão altos

quanto os que ergui durante todos estes anos? tantas
perguntas ficam me atravessando a esta hora da noite;
tantos questionamentos do porquê não demos certo.
foi o tempo? a distância? o querer? só sei que te quis
muito. como um crente quer muito acreditar na
existência de deus. como o cientista crê inefavelmente
na existência de leis. como alguém que ama o mar crê
na possibilidade da lua, enfim, o encontrar para beijá-lo.
você carregava a paz de um torcedor que vai ao estádio
e compreende a liturgia do minuto de silêncio. eu era
uma voz gritando de algum lugar próximo ao local onde
tudo acontece. você era a varanda do apartamento do
décimo andar, com vista para o Cristo Redentor e para
a praia de Copacabana enquanto eu era apenas mais um
visitante, que se espantava com a aventura que aparecia
à frente. eu não acreditei em você. eu não acreditei que
podia ser tão real e tão terreno e tão orgânico e tão de
verdade. eu não acreditei que podia ser feliz ou fazer
parte do seu caminho. eu não tinha fé suficiente no
calor das minhas mãos, não pude crer que te aqueceria
nos dias frios que se erguiam entre o seu beijo e a
minha respiração, entre a sua agitação e a tranquilidade
do meu corpo, entre seu entusiasmo e a minha
temperança. quando você me conta que não consegue
se entregar, eu entendo agora, do outro lado da cidade,
os porquês do encontro: precisávamos nos esbarrar
para nos compreender. precisávamos nos despedir para
seguirmos, sozinhos, com os traumas ainda abraçados
às próprias mãos.

textos para tocar cicatrizes

filme iraniano

então de repente ele já não consegue mais acompanhar
sua vida se expandindo. você chega em casa depois
das dez, o leite integral deu espaço para o desnatado,
Cecília Meireles deixou de ser sua escritora favorita.
em alguma parte do caminho, que não se sabe qual,
ele desaprendeu você e seu amor. você cresceu e hoje
consegue não explodir no meio de uma discussão.
hoje, você se inclina a rotinas menos dolorosas e esperas
menos sofridas. você não espera ele dizer que te ama
para poder dizer também. você criou paladar para
comida mexicana enquanto ele não consegue passar do
arroz e feijão. você já não assiste filme francês porque
descobriu que cinema iraniano é muito melhor. ele
ainda se deleita assistindo Almodóvar. amarelo não é
mais sua cor favorita; ele nunca teve apreço por cores e
seus significados. vocês, ambos, se perderam durante a
viagem do relacionar-se.

ele frita os ovos no café da manhã: *"aprendi naquele seriado que gostávamos"*. hoje, você mal se esforça para ver Friends na TV. os hábitos mudam e levam tempo, como naquela vez em que vocês quase hesitaram em se separar, mas continuaram por amor a alguma situação maior. talvez você tenha se dado conta de que toda mudança tem um custo. o de vocês foi presenciar um fim quase que cinematográfico. ele pensa em visitar o Peru, você ainda nem conheceu seu próprio estado. você já não dorme com os pés em cima dos dele; ele não te observa dormir enquanto se arruma para o trabalho. você perdeu a vontade de ir ao cinema às sextas, ele ainda te questiona por qual razão você estagnou durante este processo de crescer. "não estagnei", você replica, se dando conta de que talvez, e só talvez, aquele encontro esteja quase no fim. quase, porque embora mudados de um começo quase perfeito e simétrico, ainda hoje existe amor.

e é por ele que você, numa quarta-feira chuvosa, percebe que o amor é esse sentimento laborioso de ir acompanhando a mudança no outro como uma mãe mira a mudança do filho: com os olhos marejados, percebe-se que a criança já pode ferir outras comidas, estabelecer outros métodos degustativos, se cuidar por si só. e é isso que verdadeiramente dói.

no entanto, o amor dele, assim como tudo que atravessa nossos olhos e atropela nossa visão, não percebe a expansão da sua coluna se endireitando por outros caminhos. que você anda por vezes tácita, por vezes indiferente, e até infeliz.

textos para tocar cicatrizes

em qual momento, exato, é que o amor solta da sua mão
e se perde no supermercado?

e você do outro lado da gôndola. e ele aqui. e a Muralha
da China entre vocês. e o muro de todas as conversas
que não serão realizadas e todos os diálogos guardados
na escrivaninha e todas as vezes que vocês tentaram
acompanhar um o caminho do outro, sem sucesso.

seria o amor essa parte nossa que, vendo o outro
adquirir asa, voo e plano, abre os braços e voa
também? seria o amor justamente essa vontade de
continuar o caminho mesmo que a mudança traga dor,
constrangimento e às vezes fadiga?

você se atrasa para o jantar. ele ainda questiona sobre
os leites desnatados. o chinelo dele na porta do quarto
parece uma tempestade em inúmeros copos d'água. a
maneira dela falar muda de acordo com a veracidade
das ações. não há mais sexo, nem o fazer amor. há,
todavia, duas pessoas tentando qualquer resquício de
respiro. há, e de maneira desaprendida, uma tentativa
furtiva de continuar porque estar juntos ainda é melhor
do que estarem felizes ou completos, mesmo que
sozinhos.

ele já não consegue acompanhar sua vida expandindo,
criando casca, reverberando pelas ruas da cidade,
crescendo e caminhando por aí livre. o amor pareceu se
agachar na varanda de casa para esperar que você volte
algum dia. mas é irremediável a expansão, a vida te

arrancando dos braços da inércia, o elixir da liberdade. ele ficou te esperando voltar para a mesa, você já estava em outra, que não a de vocês dois. **hoje é dia de filme iraniano.**

textos para tocar cicatrizes

love is a losing game

se o amor é mesmo um jogo perdido, como cantou
Amy, por que eu sinto que não perdi nada?

se te amei e fomos um para o outro como aquela parte
da praia vazia de gente e de frustrações; se nela nos
sentamos sobre a canga e nos abraçamos como se o
mundo não estivesse se acabando; se de repente tudo
havia ruído – mágoas tristezas cicatrizes. eu não sentia
o peso do mundo nos meus ombros eu não sentia
que havíamos terminado eu não sentia que estávamos
separados de todas as coisas todos os planos todas
as conversas jogos memórias amor. se lá, naquele
momento, naquela fresta do espaço por onde vazam
todas as emoções, eu te amava e você me amava também
e nós nos perdoávamos por termos dado tanto, dado
errado? então eu não sentia que estava te perdendo, eu
sentia que estava me ganhando de volta. que finalmente
algo em mim voltava à tona, a minha vontade de viver
e de conhecer outras pessoas e outros tipos de amor.

eu te olhava no meio da brisa do mar e tinha vontade de voar. eu era livre! meu deus como eu era livre. meus amigos me ligaram no final de semana para perguntar se estava tudo bem e eu não sei lhes explicar ainda hoje que bem é uma palavra minúscula para o tamanho da paz e calmaria que me habitou nos três dias que estivemos juntos. era como se tudo estivesse se quebrando, mas não o suficiente para cortar. era como se tudo estivesse desmanchando na atmosfera, mas não de uma maneira feia, torpe, cínica, mas especial: estávamos indo embora um do outro como quem sabe (e saber é o mais importante) que algum dia estaremos juntos, seja sentados em uma padaria comendo um misto-quente e falando de signos; seja jogando vôlei e rindo da vida e de como as relações podem nos perfurar. você tinha me perfurado, como uma bala que passa de raspão, mas depois percebemos que a ferida é bem mais profunda, que o projétil está alojado perto de algum órgão, de algum lugar que se emociona. Audre Lorde nos ensina, no entanto, que se pressionarmos forte a ferida ela para de sangrar. eu estava pressionando forte a ferida quando decidi viajar contigo. eu estava pressionando todas as minhas projeções que deram errado e os meus desejos de te querer e as vontades de passar o resto da minha vida ao seu lado. eu estava apertando meu próprio pescoço e jogando fora todos os manuais sobre cura e como seguir em frente – que consiste em deletar memórias, ir embora sem olhar para trás, apagar mensagens e fotografias… pelo contrário, eu estava lá, perto de você, no âmago da experiência. eu estava lá, no infinito da minha própria dor, no ápice da crise existencial, sentindo que você não era para mim.

textos para tocar cicatrizes

então me responde, como eu perdi essa batalha? não sinto que perdi o amor ou para o amor. não senti que joguei na loteria e de repente todas as minhas fichas foram embora juntamente com as possibilidades de amar novamente. não senti que deixando você ir embora (e indo também) eu nunca mais encontraria contigo pelo caminho ou, melhor, me reencontraria nele. porque enquanto eu te olhava dançar segurando um cigarro na boca e você virava para mim, sorrindo, eu pensava:

furacões sempre voltam para resgatar o que não conseguiram destruir.

enquanto você vinha até minha direção para me oferecer abrigo ou abraço, eu pensava:

tsunamis sempre voltam ao lugar de origem para reencontrarem o que deixaram pelo caminho.

por isso você sempre voltava a mim e ninguém ali podia compreender o que acontecia. as pessoas ao nosso redor diziam "mas vocês terminaram?", "o que vocês têm?" e eu não sabia como responder. pois o que éramos? ali, eu e você, no meio de uma ilha, apaixonados, afetados, mas ausentes do amor romântico? eu e você, no meio do nada, mas ainda assim, cheios, de amor paixão entrega verdade tudo?

não pode ser derrota quando o amor vai embora mas ficam as muitas outras coisas boas. porque eu te quero bem e feliz e livre e leve. eu quero que você abra esse peito e deixe todos os pássaros saírem voando. eu quero que você se jogue de olhos fechados e peito aberto e a certeza de que se doer vai também sarar. de que se te machucar, vai igualmente servir para você se proteger e, mesmo assim, continuar tentando o amor e a vida e as relações. que se você se quebrar, você sempre terá para onde voltar. porque quero ver que você é capaz de sentir sem se preocupar se as pessoas vão te acusar de intenso, porque quero ver que você, ao me conhecer, passou a entender o significado da palavra sensibilidade. eu te quero sensível, para o mundo, para as coisas do mundo.

eu não te perdi, garoto, eu não perdi nesse jogo do amor, pois te vendo existir me dei conta de que não dá para perder no amor quando o ganho é a liberdade e a certeza de que ficaremos bem, independentemente se juntos ou não.

eu não perdi no jogo do amor porque abrir mão de alguém que se ama muito é sobre paz
ou liberdade

quem sabe os dois.

textos para tocar cicatrizes

telefonema

hoje me perguntaram
o que eu faria se você
me ligasse
pedindo para voltar

eu ri

– se você ousasse me ligar
a linha telefônica tamparia
a sua boca
as torres de comunicação do país
cruzariam os braços e
impediriam tamanha fatalidade

se você ousasse me ligar
as ondas se fingiriam de mortas
para tua voz não chegar no coração
dos meus ouvidos
a linha do rádio ficaria muda
esperando o mundo desabar

se você ousasse me ligar
a corrente elétrica que separa
minha voz da sua
te levaria para o meio do mar
e lá deixaria cair todas as
palavras vazias de pele
que você diz –

respondi que nada.

voltar para você
seria como dançar sobre
um prego enferrujado

seria escolher
a piscina do prédio
tendo um oceano bem
à minha frente me
convidando para ser livre

seria escolher pisar em ovos
ignorando a magia dos
meus pés que voam

seria aceitar ouvir
as mesmas desculpas
de sempre
só que agora validadas
pela escolha de voltar.

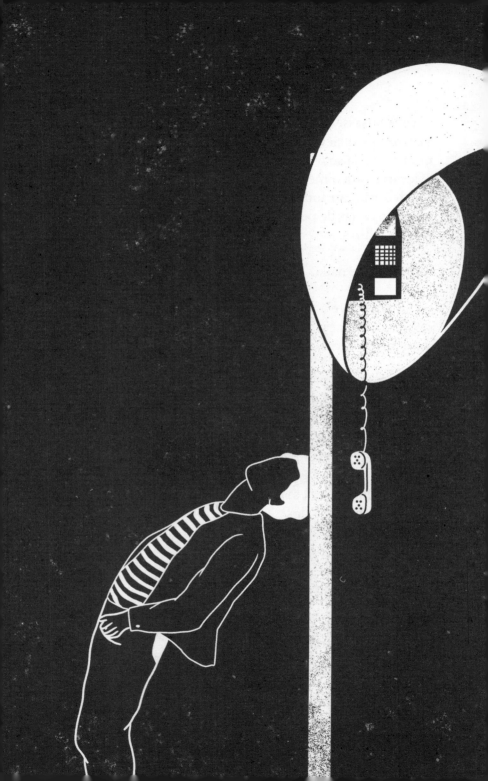

se eu voltasse para você
eu teria de aceitar
que suas desculpas
são como aqueles dias
em que se é sabido que
vai chover
e mesmo assim saímos
de casa sem guarda-chuva

você é o céu cinzento
a chuva tola molhando
os avisados
encharcando de lama
a escolha errada
e cotidiana dos
que insistiram no erro

voltar a você
seria como pular
de paraquedas em um dia nublado
quando eu tenho
o meu próprio amor solar
no qual me jogar

seria aproximar
todas as minhas feridas
de um animal selvagem
e faminto:
há territórios que não
precisam ser devorados
outra vez

textos para tocar cicatrizes

hoje me perguntaram
o que eu faria se você
me ligasse
pedindo para voltar

eu ri

porque você não vai me ligar.
e eu não vou atender.

este ainda é um corpo que dança

permaneço aqui, quieto
observando sorrateiramente este corpo que enfrenta
os dias sombrios e a ausência das coisas
muitas vezes de tudo
lembrando que pensei ser o fim de mim depois de você
mas constatando que era apenas o começo
do caminho do intermédio para um lugar melhor
do estranho momento em que a dor se dissolve
e é possível perceber um horizonte esperançoso
logo à frente
perceber que há braços suficientes para remar forte e
chegar à orla da praia e ao início do infinito
quietinho,
observando meu corpo ganhar forma e relevo,
vitalidade e um pouco de pele, lucidez e uma
compreensão larga, complexa sobre si mesma
este mesmo corpo que esteve atado a uma espécie de
armadilha, crendo viver apenas o que lhe cabia e não
o que merecia;

textos para tocar cicatrizes

este mesmo território em transe, em trânsito,
agora em trégua
este país livre de guerras e tratados injustos e concessões
danosas, que quase pensou não resistir, não conseguir,
não desvencilhar as mágoas as raivas as memórias de
quando foi bom e aí ficou ruim
para ficar péssimo para se tornar insustentável
tenho me observado silencioso e sorridente, alegre com
os pequenos-grandes passos que tenho dado rumo ao
conforto de me saber mais meu; de me entender mais
aberto às minhas próprias dores e, sem pestanejar, ficar
para estabelecer diálogos,
estremecer razões, desfazer laços
eu estou desfazendo os nós que você me fez
um a um
destrinchando todas as palavras ruins as agruras as
maldições os verbos colocados no lugar errado as vezes
que você me queimou
com o silêncio as vezes que me fez congelar no deserto
da intimidade as tentativas de
me fazer enxergar menor do que eu era
e acho que fui pequenino mesmo, para sentir que cabia
nas tuas projeções na maneira que você tinha de
conduzir nosso relacionamento na forma como elevava
os discursos ao céu, esmagando automaticamente
qualquer resquício da minha presença
nos lugares nos espaços no ambiente do teu peito
em qualquer parte tua que nunca tive apenas olhei de perto
mas me deixe te dizer que permaneço pequeno agora,
mas é de uma outra pequenez que alço observação,
componho reza, faço chover
é este tamanho de mim que precisa existir sobretudo

humilde porque sabe que uma transformação acontece
dentro, muito maior
é o espaço cedendo espaço para uma cura mais ampla
e que já não possui você ou tuas digitais
é um espaço e um corpo que carregam em si a
autonomia
para se curarem
e de repente crescerem saudáveis
ganharem forma e significado
sentido e tato
paladar e olfato
felicidade e crença

então permaneço aqui, quietinho
observando este corpo tropeçar, vez ou outra,
na palavra superação
caindo, em alguns momentos, porque ainda não sabe de
todas as respostas e nem se pretende saber
porque saber exclui a surpresa de se descobrir e
se desvendar e tenho me descoberto e desvendado
mais apaixonado pelo mundo e pelas coisas do mundo
pela vida e por todas as grandes emoções que ela causa
pelas pessoas e por todos os bons corações que
permanecem comigo
apesar de você

observando este corpo, que é meu, reagir sem se prostrar
à tristeza profunda que me habitou
depois do término, sem ceder à amargura de
ter me perdido enquanto estava contigo,
sem entrar em uma batalha emocional comigo mesmo
sobre os porquês do fim e suas implicações

textos para tocar cicatrizes

este mesmo corpo que agora vejo ganhar sonhos e tecer
novas emoções e aprendizados
que vejo sobrevoar um território calmo e tranquilo,
sereno e impenetrável
este que é um corpo que cai mas
continua dançando.

textos para tocar cicatrizes

caminho

há um caminho de paz esperando por você
cujo silêncio não vai te estapear a face
a ansiedade não fará seu coração
correr uma olimpíada inteira
e onde ego algum competirá para te tirar
o ar puro de se sentir amada

um caminho cujas expectativas
não apertarão forte o seu pescoço
e as inseguranças não alcançarão
um lugar à sua cama, te impedindo de descansar
um espaço onde todas as suas lágrimas
se sentirão bem-vindas para serem celebradas
terem em quem se apoiar

você é a sua força.

um caminho onde a entrega será ilimitada e cotidiana;
diária e autorrespeitosa;

mansa como o mar das seis da manhã;
profunda como oceanos que ainda
não foram descobertos por navios estrangeiros
nadadores incrédulos
pessoas que nunca amaram o mar

um território onde todos os seus medos
dão as mãos e brincam de cantar provérbios antigos
como crianças que acabam de descobrir
a poesia da liberdade
e suas feridas deixam de ser feridas para
darem espaço a mapas complexos
de curas infindáveis
e novas formas de se perdoar

há um caminho de amor reservado para você
em que seus olhos brilharão todos os dias sem arder
e o sol te beijará a derme,
trocando a pele fina de rancor
por outra, nova, magnífica em leveza
irrestrita de beleza
em que suas mãos conseguirão se perceber
prontas para, agora, tatearem novas chance de seguir

(você, enfim, está seguindo)

haverá um caminho para você.

onde todos os ressentimentos
que te movem
sentarão frente a frente
em cima dos seus ombros

textos para tocar cicatrizes

para dialogarem sobre deixarem
de existir
afinal, tudo já está cansativo demais
para ser carregado
e teus braços têm outros perdões
com os quais lidar

um lugar onde superação será apenas uma palavra
bonita, mas esquecida em alguém que já não te
machuca o peito
em que deus escutará o coração das suas intenções
e com elas se sentará para conversar

há um lugar
onde seu choro se transforma em música para
fazer dormir todas as palavras
que um dia te atravessaram como lança
e te deixaram quebrada: uma hora ou outra, de tanto
doer, deixa de queimar

um caminho em que você
de tanto incendiar
torna-se o próprio fogo
beijando tudo
consumindo-se em si mesma.

feliz aniversário de namoro

a gente terminou
em março
e com um mês eu dei uma festa

compareceram à celebração
uma lasanha de carne
um vinho tinto
e minhas lágrimas enquanto
tentava acertar o ponto da massa

nesse dia eu não te liguei
mas peguei o celular
para te mandar mensagem
olhei a foto do seu whatsapp
e percebi que nada seria como antes: o silêncio
crescia no apartamento como
um novo cômodo
que eu teria o prazer de abandonar

textos para tocar cicatrizes

depois
no segundo mês
eu celebrei abrindo as janelas e
deixando que os pássaros entrassem na sala
eu precisava entender mais
sobre voo e menos sobre prisão
e voltei a chorar com o tamanho
da liberdade que se assumia
à minha frente:
alguns relacionamentos não durariam
dois dias com os horizontes abertos

no terceiro mês
eu fiz uma tatuagem
um texto para me lembrar que eu
sobrevivi às mais variadas tentativas
de ruptura
e ainda assim carregava cicatrizes suficientes
para abrigar países em reconstrução
e transformá-los em verdadeiros reinos
teu nome já não fazia cócegas na minha dor

no quarto mês
minhas lágrimas desistiram de cair ao pensar em você
tinham aprendido a serem orgulhosas
a não se derramarem por alguém
cuja dor nunca viu um céu aberto

no quinto mês eu comemorei
apagando enfim todas as últimas fotografias
que restavam no coração do meu ego
e com uma xícara de café ao lado da mão

igor pires

fui deletando uma a uma
todos os aniversários
viagens
noites de sexo
dias em que fui infeliz
até que não restasse memória alguma
latejando na pele
dormindo em cômodos silenciosos
se escondendo de serem achadas
e mandadas embora daqui

hoje faz seis meses que você se foi
e eu voltei à tona
para comemorar
deixei a janela do apartamento aberta
destruí cômodos e silêncios
acertei a massa da lasanha
abri um sorriso ao lembrar de mim.

**um corpo que cai
mas continua dançando**

*desde que te conheci,
me pergunto se realmente me conhecia
ou se apenas me encarava,
sem a intenção de me desvendar*

textos para tocar cicatrizes

176

tudo em mim já estava sendo curado
antes mesmo de se quebrar.

– *oração*

quando me perguntam de você
no ponto de ônibus
eu hasteio um sorriso no canto da boca
levanto a mão como uma criança
faminta por atenção
rodopio de ansiedade e me alimento do êxtase
em dizer: encontrei alguém com quem
compartilhar uma existência.

– *todo mundo sabe que eu te encontrei*

intimidade

o ar estoura na janela
pedindo para entrar e conviver
com o nosso amor

os anjos no céu
invejam o movimento das
nossas pernas indo e vindo
cansadas de tanto prazer

sexo é uma palavra inadequada demais
para o que fazemos à noite
quando os pássaros vêm nos
visitar

você coloca sua mão em mim
como se descobrisse um texto em braile
como se não precisasse de asas para voar
mas não percebe: eu sou as asas

eu sou o caminho para você
chegar mais próximo a deus

eu sou o ar namorando o seu nariz
enquanto você morde meu nome.

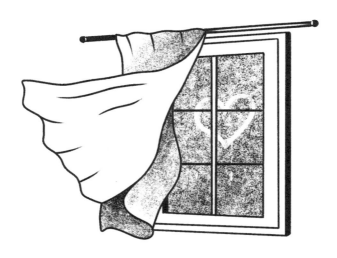

textos para tocar cicatrizes

mel e girassóis

passa a boca doce de mel
no meu corpo salgado de mar
quero sentir a dança do óleo
encontrando a água
e fazendo cócegas no impossível

mergulha teu inverno
na minha primavera
há flores que só crescem
quando a chuva
vem beijá-las

e enfim
derrama tua sede
sobre minha fome
mostre ao mundo
como nascem
amores insaciáveis.

textos para tocar cicatrizes

Buenos Aires

eu não sou seus traumas antigos e as vezes em que foi
abandonado. eu não sou aquele seu amor de 22 anos
que acabou pendurado na árvore do destino, esperando
para ser perdoado de todo o mal que te causou.

você ainda sonha com o que aconteceria se a vida não
fosse sobre perder amores no começo da vida adulta,
tão natural como quando perdemos o dente de leite,
a moeda da carteira, uma parte do peito quando se
relacionar é o pulo, sem precedentes, no corpo do
abismo.

sou eu, olha para mim.

eu não vou embora como os outros foram. e se eu for,
acredite, você será a primeira pessoa a saber. te contarei
olhando nos olhos, em um lugar que merece a minha
completa verdade e todos os sentimentos que brotam
em mim quando você está por perto. não vou te negar

sorriso algum, nenhuma dor sobre nós será escondida,
eu não vou embora de você como quem apaga a luz e
esquece de voltar para acender.

eu não sou os seus dias de insegurança e ansiedade,
esperando mensagens na tela do celular ou e-mails
que nunca chegaram. e eu sei de todos os seus
medos; do pânico de que o vazio e a ausência e o
abandono se repitam; que te acabem e acabem com
o relacionamento que estamos construindo. mas veja
bem: somos lugares diferentes agora. somos cidades
inteiras, queimadas tantas e tantas vezes, tentando se
reerguer. somos ruas, prédios, casas novas, esperando
pelo momento, enfim, do encanto e dos olhos mágicos
das pessoas que os percebem.

eu não vou te abandonar como os outros fizeram. não
farei da sua promessa em mim um caminho distante,
longe do que temos aqui e é bonito; tem luz. não vou
desaparecer da sua vida como uma nuvem no céu, sem
presságio, e eu prometo que toda tempestade que vier
será para anunciar dias melhores, noites mais calmas e
solos preparados para florescer.

eu te conheço e sei que ainda dói.
o cheiro das marcas que te deixaram. do homem que te
fez viajar até a Argentina e, chegando lá, desapareceu.

você ainda vê miragens em becos e sombras em ruas
sem saída.

textos para tocar cicatrizes

você ainda está em alguma avenida de Buenos Aires,
o barulho dos carros soprando em seu ouvido, o céu
azul quente estrangulando sua memória, os espasmos
no corpo porque se dá conta de que ninguém vem
te resgatar.

é por isso que, pouco antes de dormir, você treme e
parece que vai afundar.

no entanto, estou aqui. passando na mesma rua que
você. recebendo o mesmo sol, avistando a mesma
possibilidade, tentando compreender como é que ficam
as pessoas traumatizadas pelo amor.

(eu também já fui)

olha para mim agora.
eu não vou desafiar o destino, soberano, que te
colocou na minha vida para que entendêssemos sobre
permanência. eu também fico,
faço casa,
me torno lar.

eu posso ser seu lar, querido. abrigo para quando você
precisar amansar os sentimentos e dizê-los em voz alta.
você não os diz com tanta frequência, há um silêncio
dançando frente à sua boca, uma Muralha da China
que se alojou no mais íntimo da tua vulnerabilidade, te
impedindo de tentar.

há uma história que se perdeu durante anos dentro de ti
e que te faz se sentir inseguro rumo ao salto,
à queda,
à glória.

rumo a mim, que estou ao teu lado da cama
esperando pelo momento em que vais abrir os olhos
e me enxergar ali.

textos para tocar cicatrizes

ácido desoxirribonucleico

vem
que te mostro todas as minhas cicatrizes e você me
conta quem fragmentou
seu coração em pequenas peças, antes impossíveis de
consertar, porém agora
perfeitamente vivas e à espera da
luz que irradia o corpo quando há espaço para celebrar

(te celebro)

vem, que te mostro minhas músicas favoritas e
te falo sobre todos os versos que dançam no meu peito
tarde da noite
e você diz quem foram tuas últimas inspirações para
viver,
por que teu cabelo tem esse corte,
por que carrega com tanta vontade todas essas palavras
gestos modos medos marcas cheiros tudo

que eu quero morar no cheiro da tua nuca
no momento exato em que a respiração volta ao seu
corpo
lembrando-se do lugar de onde nunca deveria ter saído

quero ser eu a tua respiração que volta

aquela que, por saudade, retorna à pele
ao sangue, ao coração

que quero saber tudo sobre você
sua posição política
sua posição na cama
sua fé em deus ou na ciência
sua opinião em relação aos conflitos geopolíticos no
Oriente Médio
ou amorosos, no Ocidente da própria mágoa
sobre a paz que você parece abarcar quando me olha
nos olhos antes de
finalmente nos encontrarmos em um país
chamado prazer

que eu quero saber por qual razão seu sorriso
desmancha
todas as minhas barreiras
e mancha as cercas que construí passando tantos anos
sozinho e solitário
pois quero compreender por que depois de você a
palavra solitário se
tornou uma prima distante que hoje desconheço
um gosto amargo que minha saliva já não consegue tocar

textos para tocar cicatrizes

vem comigo que eu te mostro como duas línguas
erguem cidades inteiras com apenas o calor de um beijo
que te mostro como nossas células
podem se tocar e, ainda assim,
deus permanecer imóvel, intacto,
esperando pelo momento
em que finalmente nos amaremos sem retroceder

vem comigo que eu te mostro onde dói, mas não como
alguém que compartilha, gratuitamente, o mapa do
tesouro perdido
como quem sinaliza o caminho frágil
como quem demonstra a fraqueza que possui

porque quero te mostrar onde, em mim, há machucados
pois acredito no braile dos teus dedos e sei que tuas
mãos jamais
tocariam partes minhas que eu não consiga defender
jamais afundariam traumas em um espaço que foi
reservado para adoração

vem comigo que eu te ensino a voar
enquanto fazemos amor
enquanto fazemos o que duas pessoas
fazem quando baixam a guarda e se permitem
a fragilidade

vôlei de praia

você está dormindo na cama agora
como se esquecesse que respirar
requer mínimos esforços
a cama está cheia de areia
e o vôlei na praia durou quase cinco horas

estamos cansados
mas não a ponto de destruirmos
os nossos suspiros

as coisas mais simples
são as que não dizemos

mas aqui eu digo:
não há nada mais bonito do que
te ver descansar
porque esqueço, por um momento,
que há pessoas e ruínas lá fora.

textos para tocar cicatrizes

escrivaninha

me deixe ficar aqui, entre uma respiração e outra, onde teu coração inflama, mas, esperto, sabe como voltar ao corpo sem reclamar.

onde teu cansaço exprime no corpo arrepios, que te abraço e sussurro em teu ouvido morto de sono que tudo ficará bem um dia, apesar de não saber sobre você amanhãs
ou futuros.

onde você se desfaz em humanidade e prepara a comida como quem prepara a própria salvação: você sabe exatamente onde colocar o sal; onde recuar no açúcar; onde se alegrar na pimenta. é mexendo nos alimentos que a tua inteligência se materializa; que o amor que te habita ganha formas e contornos. que ganha o sabor de quem nasceu preparado para dar à vida o gosto de ser incrível.

textos para tocar cicatrizes

quero ficar aqui te vendo estudar tuas células com aquele cobertor de veludo azul sobre a cabeça, fazendo caretas para descobrir cálculos matemáticos e frestas no escuro do mundo. te vendo perguntar, sempre, pela água. te vendo ir buscá-la para colocá-la ao lado da cama caso tenhamos sede. porque você não sabe, mas você já é a minha água. você já é meu universo explodindo, dando à luz novas partículas e momentos de vida.

me deixe ficar aqui, com tua cabeça sobre meu peito, admirando o porquê do tempo parar quando estamos apaixonados.

me perguntando por que parecemos estar em estado de suspensão quando nosso espírito se conecta com outro; como quando nossa alma encontra razões para deixar de ser filosofia e virar ação. é no amor, na intimidade que habita dois corpos abraçados na mesma porção do espaço, que as teorias já escritas no tecido da história dão lugar à realidade. pois esqueço de tudo aquilo que estudei quando as veias do seu rosto se encontram com os meus batimentos cardíacos. pois esqueço da finitude do mundo quando estou dentro de você e a vida parece ceder. parece se desmantelar feito prédio antigo. parece esfarelar feito nossas convicções sobre viver.

nada é tão certo na vida que não resista a duas pessoas se apaixonando.

nada é tão teórico no universo que não resista a dois corpos se reagindo e se transformando em amor.

que quero ficar aqui, onde te vejo brilhar e onde sua luz
nunca se apaga e consequentemente a minha também.

tem sido bom viver fora da realidade, dentro de
um sonho onde me sinto feliz e o amor é leve, fácil,
tranquilo e microscópico. onde as conversas se
encerram antes mesmo de entrarem no ringue e
vestirem armadura; antes que nos arrastemos um
para o inexorável do outro, ao minúsculo, limitante,
enfadonho do outro. onde ainda podemos nos olhar
com a paciência de gurus indianos, rumo à certa
espiritualidade que não se encontra em lugar algum.

temo que as chuvas nos levem para longe.
que as cidades com suas pessoas e ruínas caminhem
para o negligente de nós.
que nossos desejos, de repente, se tornem leões
famintos, à procura de erros cotidianos e mentiras que
viram órgãos inanimados dentro do corpo.

eu quero permanecer aqui igual à vez que me sentei ao
teu lado na varanda do apartamento e, olhando para
o cristo redentor, palavra alguma poderia revelar a
sacralidade do que ali estávamos fazendo.

quando estamos apaixonados, nada é grande demais
que não possa se demorar no silêncio e na paz que
se acomoda quando o amor também está. nada, no
universo, pode ser tão incrível quanto duas pessoas
sabendo se recomeçar.

textos para tocar cicatrizes

sua respiração assombra a tempestade a cada começo
de noite
o soluço baixinho, como se tentasse entender por que
pesadelos ainda fazem parte da vida adulta
os olhos abertos mirando o céu azul de agosto
a vida acontecendo contigo e fora de nós um mundo
ainda maior para ser explorado

mas eu quero ir com você
entre uma respiração e outra
onde tudo vive e permanece contínuo.

dois dias ou duas vidas inteiras

não sei quanto tempo vai durar.

se o período de dois dias
        duas   semanas
    ou duas   vidas inteiras.

se no próximo carnaval estaremos como dois
apaixonados ou dois ausentes,
esquecidos um na memória do outro.

se no próximo aniversário você será a pessoa que me
acordará debaixo das cobertas, tentando so le trar
alguma palavra difícil da língua portuguesa, ou se
estarei   longe,
sem ousar pensar em você,
em nós ou nisso que chamo de sorte.

se você é só mais um cara que aparece porque a vida
precisa me mostrar que ainda existem pessoas que

textos para tocar cicatrizes

valem a pena,
valem a
	queda.
você apareceu porque eu precisava entender que toda
queda pressupõe coragem para se jogar e história para
escrever na pele.

você é uma história solar que aconteceu no meio da
semana inesperada de um junho cinzento.

**o sol amarelado cobrindo o céu mais azul que eu
poderia enxergar.
o café da manhã no terraço do apartamento que tem
a vista para o mar de Copacabana.
o sorriso de homem que finalmente se sente
confortável estando com alguém.**

foi assim para você também?
estar com alguém
estar confortável sendo real e de verdade

nada de jogos
montanha-russa
adrenalina no calor do espírito:
tudo maduro e crescido
tudo suficientemente calmo
e sereno.

eu acordei um pouco antes que suas pálpebras pudessem
se perceber vivas novamente. e quando abri os meus
olhos, lá estava você, ao lado, como se descansasse, enfim,
do mundo. não havia fuga. não havia um espaço na cama.

não havia medo ou tragédia, tristeza ou ansiedade,
traumas ou projeções. havia apenas um corpo que
precisava de paz. havia apenas eu, sendo o momento-
presente da maneira mais leve possível.

os minutos que separaram meu sono do seu foram
suficientes para que
eu entendesse sobre sorte e grandes encontros.

mesmo que amanhã nossas bocas errem o caminho e se
desencontrem na vida,
o beijo perdendo de vista os passos na areia.

mesmo que amanhã nossas partidas de vôlei sejam
marcadas por estranheza e ausência de contato físico e
emocional, a falta de intimidade existindo para além da
quadra.

mesmo que biologia seja apenas mais um curso que
você fez, e não a história cotidiana que você me conta
sobre seu trabalho e como é incrível experimentar
células tão pequenas, mas ainda assim tão importantes
para a vida humana.

escrevo este texto só para dizer que não tenho medo do
que vem depois.

porque depois é uma palavra que só existe no futuro e
eu quero viver
o hoje, este céu limpo, esta calma branda
e estes dois dias,

textos para tocar cicatrizes

que podem não se transformar em duas semanas ou
duas décadas,
mas que já cabem vidas e entregas inteiras.

vidas e entregas imensas.

fotografia

me empresta o teu olhar
eu também quero ver as coisas bonitas do mundo
tatear o que não está ao meu alcance
aquilo que se perdeu entre uma descrença e outra
o que perpetrou tua retina antes do amanhecer
e fez com que tuas células te lembrassem por qual razão
ainda é imperativo acordar
eu quero enxergar a esperança vestida em cada átomo
que dança à tua frente eu quero engolir a sensibilidade
que te abraça tão fortemente a pele e a tessitura do desejo
o cerne da tua existência e todas as tuas idas a um
caminho sem volta
que caminho é este pelo qual teus pés se apaixonam e
retornam alegres toda vez que chegam em casa?
que preciso enxergar o verde mais verde e o azul ainda
mais mar e o escuro da noite ainda mais substancial
que preciso aprender contigo a ser um pouco mais vulcão
e assim me derramar sem avisos prévios ou
preocupações sobre alcance e engajamento que preciso

textos para tocar cicatrizes

aprender a como não ter vergonha
de ser profundo imerso imenso
e tanto que a cidade ao meu redor com seus moradores não
teriam medo de ver o que estou vendo e de sentir o que
estou sentindo
porque é diante da tua presença que o mundo sente
vergonha de si próprio e começa a enternecer,
que afeto diante das tuas pálpebras têm o gosto de
quando a gente descobre na infância
uma curva um novo número a magia incandescente de deus
e de tudo aquilo que voa
que preciso entender – e não de maneira racional –
como é que o mundo
permanece inteiro depois de te olhar
como é que a natureza te atravessa e consegue se manter
razoável, sem bambear as pernas
me empresta teu olhar que quero enxergar o invólucro
momento em que a vida
nasce mais uma vez mas sem fazer barulho sem
reacender teorias da conspiração
sem atear fogo em descrentes
que quero enxergar a criação divina e observar nela
um propósito
enfim o amor infinito e soberano
que preciso constatar como são bonitas todas as coisas
que tu vês e tu reparas

e as outras que te encantam e fazem barulho na
membrana mais honesta e
vulnerável do coração
que deve ser bonito e irremediável, inalienável reparar
em tudo o que te veste, te compõe, te torna formidável,

encantável e doce em um universo cujas paixões tendem
a cessar com o fechar dos olhos

porque quero me enxergar da mesma maneira que você
me enxerga
porque teus olhos guardam paixões maiores e mais
bonitas que o céu
e o teu peito inflama e grava numa fotografia.

sistema solar

eu quero o momento inóspito e especial que a lua toca
no mar
quando ainda é noite e as pessoas na cidade grande
estão dormindo.

o microssegundo em que tudo acontece
e nada se separa.

a sede na boca por horas a fio.

o momento exato em que a língua encontra com o que
mata a sede, mas não a ponto de fazer morrer.

eu não quero morrer antes de você entrar em mim e
permanecer como permanecem no ar as partículas
de carbono, as saudades todas dissipadas em abraços
longos de namorados que não se veem há dias, amores
que se encerram em esquinas e de repente encontram-
-se no universo, no invisível e limiar das coisas
impronunciáveis.

igor pires

você me perguntou certa vez o que eu queria estando
contigo.
na verdade, querer é uma força muito pequena se
comparada a você.
porque se te olho, querer é uma palavra que perde a
força, virando quase
uma terra amorfa,
um lugar infértil,
uma praia sem areia,
um mar sem ondas.

o que quero cabe nos teus olhos e, no entanto, ainda faz
questão de transbordar.
o que existe no fundo no teu corpo, na tua pele, que
guarda todos os segredos do mundo.

eu quero tudo o que você carregou e não soube como
desapegar.
dos lençóis freáticos aos lençóis que existem debaixo
dos seus cílios.
do choro preso na garganta à lágrima que se soltou e
vive alojada em teu peito.
da maresia que inunda o Rio de Janeiro à maresia que
você emana toda vez que me olha de canto de olho.
eu quero isso.

isso que é infinito, intempestivo, intolerável.

eu quero o instinto que te faz viver e existir dessa
maneira. os motivos que fazem seu sorriso ser tão
perturbadoramente bonito. e quero não apenas o sexo

textos para tocar cicatrizes

que alegra e endireita as pernas pelas manhãs, como
também a intimidade do que duas mãos constroem
quando finalmente encontram no prazer a paz de que
tanto procuravam.

quando você me perguntou o que eu queria, meu
coração parou de bater porque querer é uma palavra
limitada perto do amor que sinto por você.
    não cabe aqui, nesse verso, universo, fantasia.
então preciso inventar outro país, outro planeta, outro
mundo que dê conta de te receber.
porque é injusto que seus pés pisem em uma esfera
tão material, se tudo o que senti até aqui é infinito e
expansivo; se tudo o que você me deu não cabe nas
mãos de deus; se até mesmo deus se surpreendeu
contigo atravessando minha vida feito meteoro não
anunciado.

<u>você é uma surpresa de deus.</u>

e você também é as minhas orações,
a minha fé na humanidade,
a sensibilidade que escorre feito água em dia de chuva na
cidade que nunca viu um céu chorar,
a história que conto aos meus amigos sobre como
finalmente encontrei o amor.

o que quero é justamente o que tenho agora.

as constelações, todas, prostradas para espiarem o instante
em que nossas línguas se tocam.

o sol, colocando os ouvidos na janela do nosso
apartamento,
escutando a batida, serena, do meu coração porque o
seu está por perto.

o céu, esquecendo-se por um momento de que é
a pele do sistema solar, o maior órgão, o tecido de
tudo, o retrovisor de todos, e por isso mesmo nos
contemplando, nos descobrindo, nos dando a benção.

o que quero
o que sempre quis
e não sabia
é você, meu bem.

textos para tocar cicatrizes

Lapa

você sentado ao meu lado num domingo à noite e a cidade está em festa porque alguém no mundo se sente preparado para o amor. o Brasil perdeu ontem para a Argentina e a Lapa inteira se distraiu com a tristeza de um sábado que existia fora do final de semana. você tem olhos carentes, mas nada no seu corpo parece esbravejar essa tua fome de atenção. me pergunto quem te negou afeto para que hoje você apresentasse mãos tão abertas para o universo. eu gosto de você, estamos na quarta semana desde que nossos corpos criaram algum tipo de vínculo, necessidade, exatidão, e ainda assim acredito sermos dois pontos distantes duma mesma reta. o dia foi agradável, o céu azul-celeste rodopiou sobre nossas cabeças na hora do almoço e a comida que você preparou com mãos tão atenciosas disparou nos nossos estômagos uma espécie de conforto. de repente não existe uma doença matando tantas pessoas e arrancando tantas lágrimas de rostos que nunca sentiram o gosto salgado do que sofre; de repente não

existe uma insegurança estrangulando meu pescoço
e acabando com minha respiração; de repente não
estamos no Brasil no Rio de Janeiro em alguma rua da
zona sul rodando rodando rodando. estamos de peruca
dançando músicas incessantes e engolindo o momento
como fazemos com algo do qual nossa boca sempre
sentiu falta, mas não sabia como pedir. então ela se viu
saciada comigo dançando na sua frente, te pegando
pela mão, te guiando pela sacada do apartamento,
rindo de felicidade e por entender que, mesmo em
meio à solidão, nós ainda dançamos. mesmo em meio
ao caos à guerra à morte a tudo, ainda conseguimos
olhar para o céu e imaginar uma outra vida, encená-la
solene no espaço entre um terror e outro, na brecha
do mundo que escalamos com pés curiosos, para
descobri-lo, encantá-lo, recriá-lo. você está aqui,
estudando a concentração de elementos químicos e
tentando entender por que este caminho e talvez por
que eu. ontem, na praia, tivemos aquela conversa tão
terrível. eu disse aquelas palavras, tão duras, tão secas,
tão intragáveis, tanto que a língua, ao despejá-las,
recrudesceu depois, atrofiando-se. a sentença: *o que
somos? o que você quer?*

e como se pergunta isso a quem se ama, de quem se
espera o infinito de braços abertos e possibilidades
incontáveis de ser feliz? é como colocar uma bomba-
-relógio no colo do outro e esperar que ele o abrace
como se abraçasse o próprio corpo sepultado. como
se entrega ao outro o cálculo matemático incompleto,
o teorema parcial da vida, a porta entreaberta, o copo
de cerveja com um pouco menos de metade. como

textos para tocar cicatrizes

pude te perguntar o que você queria de nós, se nem eu mesmo sei o que quero, como quero e se o meu querer é grande o suficiente para dispensar pequenas acepções, frágeis diálogos, pratos no chão? se no final das contas, também tenho desejos flamejando na pele e uma vida inteira pela frente, que pode não conter você, mas que certamente conterá eu, com todas as memórias de dias muito felizes, apesar de sabidos que isolados, inigualáveis, e talvez nunca mais revistos, revividos, certos do amor que senti hoje?

hoje eu senti algo próximo a amor pela vida quando estive com você. tudo parecia no lugar porque você também parecia. não havia medos descrenças outros desejos inseguranças altares palcos nada. não havia comparações inúteis e insolentes não havia pensamentos de você indo embora ou de mim mesmo indo não havia abandono dor tristeza lágrima ou chuva. tinha sol. tinha um silêncio apaziguador de vizinhos que estavam dentro de suas casas aproveitando o domingo como se aproveita banho gelado de um mar que sente saudade de pele, do arrepio primeiro de um corpo que há muito tempo não sente o gosto frio do oceano. tinha uma esperança em cada gesto, de cada movimento, nos braços e sorrisos das minhas irmãs. tinha acalento no olhar dos meus amigos me dizendo que eu estou mesmo apaixonado. tinha uma espécie de fio condutor que alinhava todos os porquês, recolocando cada ferida aberta em seu devido lugar. hoje não era dia para sentir que mesmo gostando muito de você, isso não é para mim. hoje eu sou os fogos de artifício dançando à noite no céu da cidade.

blues da piedade

quantos impossíveis cabem dentro de uma história? teus olhos são tão bonitos. duas paralelas sobre sua íris e nossos corpos não se conversam, receio que não se conversariam nunca. *quantos impossíveis vivem no espaço entre minha boca e a sua?* te conheci no momento mais inóspito da vida, quando minhas mãos apalpam outras e meu peito pertence a outro território. quantas chances vamos perder pela impossibilidade do destino ou simplesmente pela vida? esta que nos arrasta e surpreende; que assusta as pálpebras; que incendeia o peito; que arrasta as certezas e muda os móveis de lugar; que transforma lugar em uma palavra desestruturada, sem forma alguma, seca, oca, triste, magra. o que faço com esse desejo se estou preso aqui, nesta parte da praia, onde teus pés ainda não conheceram? se você chegou e deu uma rasteira em todas as minhas emoções, se eu achava que estava a salvo do amor profundo e da

textos para tocar cicatrizes

paixão avassaladora, se pensei que estivesse protegido, que tivesse erguido montanhas e vulcões, estendido peles e opiniões, criado cascas e proteções; se pensei, por um momento, que nada arrancaria de mim o ar e a respiração trêmula e sôfrega; se pensei, por um momento, que estava livre de sentir o sangue quente correndo e correndo, solto feito pipa; se achei que finalmente o amor estivesse longe de mim, de meu corpo esguio e mãos desastradas. tem algo tão bonito sobre a maneira como você estende as palavras, lentas, no ar. dizendo coisas sobre a beleza da vida, a tessitura da existência humana, a força os chakras os chás as orações os países que visitou os tipos de café que experimentou os mares que viu com olhos vivos e latentes. *"me encanta tus ojos"* te escrevo aqui-agora. te escrevo porque é na escrita que a impossibilidade regressa à sua origem, à primeira palavra, à sua mãe. porque possibilidade, aqui, nestas palavras, ganham profundidade, eco, fé. pois acredito com força, com a benção divina, com a certeza imiscível das marés que alagam, mas nada levam; com o destino imutável, no entanto sempre certeiro, ao qual estamos atados, estaríamos se pudesse. porque quando escrevo, impossível é apenas um estado em que fico depois de te encontrar e esbarrar na tua energia. é impossível não se encantar por você. é impossível não querer viver um romance e dançar Cazuza na praia enquanto o sol nos abraça e nos concede o calor ameno daqueles que se querem e querem inventar o amor, mesmo que não exista uma vida para contar depois. eu quero continuar escrevendo aqui, através desta porção mágica de palavras postas uma ao lado da outra, porque é possível nos recriar, inventar o amor, nos fazer feliz e se distrair das coisas que não existem, que não existiram nunca.

uma primavera no meu outono

o que sei de ti? nada.

não sei como é viver do outro lado do mundo,
à espreita,
à espera.

como é ter uma bomba dentro de cada sentença falada ou marcada na tela do celular, no centro das contradições, nos elementos da vida cotidiana, tão solitária, em seus prédios apartamentos
forças maiores.

não sei quem te rasga o peito, quem te arranca o ar,
quem te empurra para o precipício, quem é o teu próprio
precipício dançando na frente do infinito.

*sei apenas que desde que te conheci algo em mim
convulsionou e não voltou à tona.*
algo em mim se partiu em mil pedacinhos que não
voltarão nunca, jamais, em hipótese alguma, a respirar.
algo em mim sacro, insolente, mais ilimitado do que o
céu e os pássaros do céu; mais expansivo do que o ar e
tudo o que nele se prende e se contém; se perdeu e nunca
mais voltará para se buscar.

desde que te conheci, me pergunto se realmente me
conhecia
ou se apenas me encarava, sem a intenção de
me desvendar.
por isso que quando fui tocado por você tudo em mim
desmoronou.

o sangue errou o fluxo, as ideias foram dormir
comigo à noite e gritavam gritavam, as horas do dia se
desmancharam no relógio de si mesmas, à la Dalí. o
surrealismo que foi te encontrar transcendeu o tempo as
horas os presságios e qualquer fuso-horário que em tese
separariam pessoas conectadas pelo fio condutor da vida.

três horas nos separam no mundo, mas as emoções
parecem estar no mesmo lugar. **isso significa dizer que
no lapso do tempo e do universo ainda é possível te
encontrar.** ainda assim, mesmo no encontro, quando
estamos diante do mesmo desejo e da mesma força
motriz em que habita a paixão, te desconheço.

*não sei nada de ti a não ser que acreditas com força nos
astros e na bondade humana. que olhas a noite com olhos
de menino desencontrado e que sentes saudade de tudo o
que nunca te afundou o peito, de tudo o que esqueceu de te
achar para te vestir ou honrar com luz, de tudo o que, de
tão magnífico, nunca beijou os teus lindos olhos.*

o que estou fazendo comigo mesmo?
me questiono sempre que penso em você.

paixões proibidas existem para nos tirar da linha razoável
do viver cotidiano. é preciso um pouco de adrenalina
para sentir a vida te abraçando e te tirando de órbita.
o mundo se desmanchando em água em terra em sonho.
não sei nada de ti, mas invento, interrompo, e assim
escrevo. não sei qual cheiro dorme em teu pescoço, quem
dormiu na tua cama nos últimos dias, quem te feriu e

hoje carrega um pedaço de ti nas próprias mãos; quem te carregou em mentiras e te levou embora de si mesmo; se janta com teus amigos nas sextas, fazes amor aos sábados, te apaixonas aos domingos. quem te rouba ar, quem devolve. quem tira tua roupa, quem coloca todas elas no lugar; quem te olha nos olhos e sabe da raridade que encontrou, quem recebe seu olhar e sente na pele que foi encontrado, o quão raro é.

agora, em alguma parte deste mundo grande e cheio de retalhos, gosto de pensar que você também pensa em mim. que se deita na cama, olhando para o teto, e propõe filosofias, teorias de como teria acontecido se tivéssemos nos dado outras chances, se no calor da loucura e do pulo teríamos voado ou nos esborrachado no chão, se na física do voo teríamos nos encontrado ou quebrado em partes coaguladas. que pensas sobre o que eu te disse, de termos acontecido errados no tempo que é sempre certo, de termos nos esbarrado na fila de um viver que não estava preparado para nos receber, de termos um enxergado no outro sentimentos que estavam tão escondidos, sedimentados, atolados, que mesmo querendo demais era quase impossível senti-los ou revivê-los.

que tu também imagina que poderíamos ter ao menos tentado sair dos pensamentos, escalado as tais paredes imaginárias e traumas do passado rumo a esta parte que nos daria um pouquinho de felicidade e paz num mundo cheio de tormenta; que se tivéssemos arriscado um pouco mais; que se eu não tivesse tantos medos adolescentes e pensamentos inseguros; que se eu não engolisse o próprio silêncio da mesma forma que engulo a comida que não

como há meses; que se eu não tivesse tantas questões a serem respondidas, talvez.

os talvezes é o que mais me assola agora.

danço sobre eles como quem não sabe o que faz. festa? choro? alívio? a dúvida é o que corrói todos os movimentos que faço durante o dia. se te penso, penso logo na história que se escreveria depois dos nossos corpos unidos. imagino logo como seriam os dias as noites o sexo meu corpo colado ao teu e nossos ouvidos silenciosos e atentos à Bethânia Gal Costa ou qualquer outra artista que você gosta de ouvir, como seriam as discussões as ausências e os dias em que não conseguiríamos nos falar, as saudades saturadas em videochamadas, você do outro lado do mundo, eu deste, te esperando chegar e trazer o gosto da intimidade debaixo da língua, no tecido da saliva, na profundidade do beijo.

que se penso muito sobre ti, me pergunto se fez sentido para o teu corpo. se você também ficava estremecido com qualquer palavra ou momento de conexão mais profunda, se os pelos eriçavam e dançavam ao menor sinal de toque, se a pele era uma pista de patinação artística em que o atleta dançava belamente sem nunca cair, se mesmo assim a pele estremecia e desmanchava como se milhares de patinadores dançassem e se jogassem no ar.

o que sei de ti?

que há 32 anos teus olhos enxergam primaveras perfilarem metáforas sobre perder para ganhar; que química era tua matéria favorita no colégio e que hoje sabes como e de que são feitas as paixões no cérebro humano; que beleza é o teu trabalho, mas também o teu caminho; que pessoas como você foram feitas para voar e que eventualmente encontram pessoas como eu, ainda com pés medrosos e atados ao chão.

textos para tocar cicatrizes

Praça XV

lembro de levantar os braços enquanto corria e
gritava teu nome pela Praça xv
do gosto da adrenalina que serpenteava pelo meu corpo
à medida que a cidade começava a abrir os olhos para
a noite
– as festas estavam prematuras ainda –
e para o amor,
já que casais se beijavam,
avançando sentimentos contra semáforos vermelhos,
prestes a atravessarem

eu lembro de você correndo atrás de mim cheio de
alegria e de olhar nos seus olhos, dizendo
"há quanto tempo não sinto isso"
era a paz de uma família de ursos encontrando o
alimento depois de dias à procura
a felicidade de um circense que se desmancha
em lágrimas ao ver que o espetáculo fez lotar uma arena,
emocionar crianças e adultos
era a segurança de ver em teu cuidado
a queda de todos os meus traumas
o terror de todas as inseguranças

a frustração de todas as minhas angústias
que já não teriam onde morar

de te dizer
"temos apenas mais dois dias juntos"
e você gritar para quem quisesse te ouvir
algo como *"o que é eterno não sabe durar"*
e então rimos choramos
      rimos de novo
e tornamos a chorar
um lamento de quem sabia que o amor
que sentíamos um pelo outro continuaria apesar da
distância e dos atrasos
das agendas difíceis e dos   quilômetros
que nos separariam
talvez   para   sempre
talvez até mês que vem

e depois nos abraçamos
ali pela Avenida Rio Branco
já quase onze da noite
os blocos de carnaval começando os cortejos
a chuva fina querendo dar o ar da graça
colocando suavemente a mão em nossas costas
tentando aparecer na fotografia da redenção
e com os olhos marejados e apenas o desejo de que
as pessoas as quais amamos perdurassem
nas veias e nas esquinas
seguimos cantando
uma marchinha
uma música
o doce fim

textos para tocar cicatrizes

como eu te amei ali
naquela rua onde tudo ferve e acontece
onde nossas preocupações fenecem e dão lugar
às mais legítimas e rasteiras alegrias
onde casais se amam e depois vão embora como se não
tivessem retirado um o gosto imaculado do outro
onde o tempo é apenas um menino cuja compreensão
não sabe que crescer dói e arranca um pouco
da nossa capacidade de sentir

mas estávamos sentindo
deus
como sentíamos

sentíamos o sereno de um sábado lindo
e o vapor da chuva em tempo de cair
sentíamos o calor dos dias acumulados
e o tesão ao qual nossos corpos estavam submetidos
havíamos passado duas semanas juntos, sem se desgrudar
aconteceu depois que eu derramei em ti uma cerveja
quente que
comprara na promoção
três por 10
o vendedor anunciava debaixo dos arcos da lapa
teus olhos assustados pensaram que alguém
estava te roubando
era eu assaltando o teu brio
furtando a tua solidão
pegando para mim o que era meu por direito
você estaria comigo pelos próximos dias
dois fins de semana
você disse

eu tenho apenas mais dois fins de semana
antes de voltar para a Austrália
e eu ri
de desespero
de achar graça no destino
por achar graça em você

mesmo assim nos beijamos
você me ensinando novas palavras em inglês
as vidas interpondo-se como se fossem
folhas de papel-manteiga
o universo rindo da nossa cara
ousadia ou simplesmente entrega
adolescêntica-maluca

foi bom
como foi bom

viver você
respirar o mesmo ar que teu nariz
sentir o cheiro do teu suor escorrendo das têmporas
enquanto fazíamos amor
fazíamos arte fazíamos
poesia
sentir que de alguma forma alguém me conhecia e
que isso acontecia em um tempo recorde
como se o relógio não soubesse de si
não vestisse sua roupa usual
estivesse errado
existisse ao contrário

textos para tocar cicatrizes

no entanto ele nunca erra
por isso estamos aqui agora
você do outro lado do oceano
eu deste lado do mundo
e a lembrança de quando a vida parecia mais real e
menos inventada.

igor pires

joy / alegria

eu pensei que chorar de felicidade
fosse um estado descrito na
bíblia com a intenção de nos fazer
acreditar que é possível
encontrar com deus e ainda assim
se manter razoável

que quando chegássemos perto dele
nos faltaria o ar e instantaneamente
as lágrimas desceriam
como descemos toboáguas
e assim as nossas pernas falhariam
as mãos entrariam em colapso
e o corpo finalmente pediria um minuto
pra conseguir se recuperar

eu pensei que chorar de alegria
fosse uma cidade muito bonita
certamente perdida na costa de algum

textos para tocar cicatrizes

país da Oceania, cujo acesso
fosse tão impossível
que aqueles que chegassem lá
tirariam uma foto
postariam no instagram
e depois
morreriam paralisados
por tamanha graça

depois
eu pensei que chorar de alegria
fosse uma metáfora para as coisas
que fogem de sentido
como por exemplo quando você
faz amor pela primeira vez
com a pessoa certa
no momento certo
no lugar certo
e tudo é tão incrível
que você chora porque a
probabilidade disso acontecer
seria a mesma de um camelo
passando pela cabeça da agulha:
impossível

e por último
eu pensei que chorar de alegria
fosse o céu para os santos em Cristo
aqueles que se guardariam do mundo
de maneira tão intacta
que, chegando no paraíso, descobririam
que o grande prêmio pelo feito conquistado

seria cem anos com o silêncio
cem anos convivendo com a própria presença

mas aí eu encontrei você.
e você me disse que a sua palavra favorita
no mundo era *joy*
que poesia era um animal que dançava
no quarto enquanto fazíamos amor
que o frio da cidade era apenas
a respiração de Deus concedendo
aval sobre os nossos corpos

naquele dia eu descobri o que
chorar de alegria significava.

era como regressar à primeira vez
que olhei nos olhos da minha mãe
quando a vi me segurando nos braços
e dizendo: seja bem-vindo, meu filho
era como me olhar no espelho
e não sentir medo de mim – todos os
meus demônios haviam fugido
era como passar as mãos sobre feridas
que me habitavam
e descobrir que elas tinham
pedido férias intermitentes
nunca mais voltariam para me beijar

chorar de alegria foi o poema que
escorreu dos meus olhos quando te vi
quando desejei ter te conhecido antes
mesmo sabendo que se realmente

textos para tocar cicatrizes

tivesse acontecido
talvez nunca estivéssemos presos
pelo laço da conexão

– porque se nós pedirmos ao tempo
que ele esteja mais ao nosso favor do que
ao dele
podemos perder mais do que ganhar
e eu não queria te perder –

então eu só respirei fundo
coloquei minha mão no seu rosto
bonito e cheio de luz
e te falei: *joy*
eu vou tatuar esta
que será a nossa palavra

e bem

eu ainda não a tatuei
mas eu te escrevi este texto.

textos para tocar cicatrizes

infinitos são difíceis de amar

o que você não sabe?

o que tem debaixo dos seus olhos
quantos furacões e tempestades
desilusões e apertos no peito?

quantas faltas falhas e pedidos de desculpas
a quem você os deve?

quem você machucou que precisou revisitar o jeito
de ser, de viver e de estar?

por quê?
por que você a machucou?
e o que me garante que você não fará do mesmo
jeito comigo
a mesma queda
o mesmo escanteio e o gol com a cabeça
as mãos
a mentira?

o que você esconde quando está *longe*   de mim?
                          e quando está *muitoperto*?
o que você não me disse ou disse mas de maneira
silenciosa e eu não peguei?
o que deixei de pegar
ouvir
querer

me conta

não, não me conta

me espera descobrir quantas ilhas
podem habitar teu arquipélago
quanto gozo posso tirar de ti
quantos eu te amos há na tua língua quando ela começa
a dançar e a pedir pela minha
quantas súplicas há nas tuas mãos cada vez que nos
encontramos
quantas segundas-feiras podem caber em uma semana
que não suporta começos
se todo começo para nós é uma oportunidade de
crescer evoluir e nos tornamos outros

o que tuas pálpebras escondem
quando se recolhem
quando você se fecha e de repente
já não há nós
e nó é apenas um estado onde nos
sufocamos
e deixamos nossas mãos se afastarem?

textos para tocar cicatrizes

quando você some por dias e dias
e eu te procuro nas brechas que o sol concede
às janelas do meu quarto
quando teu silêncio é o único idioma que nos conecta
e o vazio começa a dar cambalhotas
fazer ginástica
ganhar medalhas
enfim se alargar entre nossos intervalos

eu tenho tantas perguntas para te fazer
mas não responde agora
não diz nada
                              só fica aqui

fique aqui antes que tudo comece a queimar
a arder
e a virar cinzas novamente

talvez depois não reste nada
ao que se apegar e pelo menos
estamos juntos
olhando nos olhos um do outro
tentando entender por que infinitos
são tão bonitos
mas tão impossíveis de amar.

este é um texto sobre escuta

a última vez que você foi ouvida.

você sorriu enquanto contava aquela história engraçada
de como tinha caído justamente na hora que dançava
no baile da escola. todos à sua volta chorando de rir de
como uma garota tão alta poderia ser tão desengonçada.
a feição do rosto confortável como se finalmente tivesse
encontrado alguém em que pudesse descansar. alguém
que ouviria pacientemente não apenas esta, mas todas
as outras histórias que você carrega e não conta para
ninguém por medo de rirem ou não se importarem.
e você gosta tanto dos detalhes, de ver com os olhos
flamejantes e curiosos pela vida, pelo mundo.

a última vez que você se perdeu entre o que dizia.

do outro lado alguém te espreitava e paralisava o olhar
em sua boca enquanto você contava sobre como estava o
humor, as horas de trabalho, a solidão da vida de solteira,

a solitude da vida adulta. alguém que não te interrompeu porque enquanto você falava era necessário o respeito a este espaço de entrega e doação. é tão necessário o espaço entre o que a boca fala e o ouvido acolhe. entre o que a língua induz e os olhos silenciam.

a última vez que alguém te viu.

alguém cuja visão repousou na sua presença enquanto você contava sobre como havia sido machucada da vez que o amor te encontrou. e então, como se prestasse atenção em um pássaro raro, cujo voo acontece em dias espetaculares, te percebia e deixava que você também alcançasse voo. rumo a uma nova frase, sentença, beco, risada, choro.

você parecia estar de frente para o oceano contando as histórias de como caiu bêbada na rua, de como se apaixonou pelo primeiro cara que te olhou nos olhos, de como fugiu do estado para casar com outra mulher, como no auge dos 35 abandonou o trabalho e foi fazer trabalho social no Sri Lanka. seu peito era aquele píer onde ficam as caixas com os fogos de artifício esperando dar meia-noite para enfim existirem no céu carioca. você era aquela faísca primeira que arranca o grito da boca do turista que foi para a cidade maravilhosa apenas por este momento lancinante de felicidade. você era a pessoa mais feliz do baile da escola do bairro que odiava. você era a música estonteante que entrava pelos ouvidos, serpenteava pelas células até chegar no centro do coração. você era a bailarina acesa, astuta, infinita dançando uma valsa, uma sinfônica de Beethoven,

textos para tocar cicatrizes

o gol pedido, implorado que acontece nos segundos finais da partida que mudaria o curso das nossas vidas, o choro inesperado, preenchido, transpassado de uma emoção que não tem nome. você contando sua história e sendo escutada como escutados são os cardumes incomuns que vivem em partes do mar nunca antes encontradas; construídas e pensadas apenas no consciente humano.

você estava tão feliz que seu corpo não se deu conta de que finalmente havia encontrado alguém cuja escuta era mais importante do que a fala. alguém cuja escuta era mais poética do que qualquer palavra ou tentativa de verbalizar.

e de repente você estava segura.

no aconchego do mundo. na parte da vida que é boa e rara de acontecer.

ilusões para uma vida eterna

*escrevemos em agendas planos
para a semana que vem
que nunca se realizarão
marcamos compromissos com amigos
que não vemos há anos
– ficaremos mais alguns sem vê-los –
elaboramos discussões sobre relacionamentos
já fadados ao fim
e por medo de abandoná-los
abandonamo-nos
esperando que outra pessoa
venha e nos resgate*

diante do mar não somos nada
diante do universo não somos nada
mas diante do amor ainda somos alguém.

– e sempre vale a pena tentá-lo

igor pires

trocar o substantivo pelo verbo

observar
o amar
mover montanhas.

– *perspectiva*

textos para tocar cicatrizes

ei
preste atenção.

calcule o perímetro da queda
e do voo antes de ir

eu sei que às vezes a gente quer se jogar
porque se jogar parece grandioso demais
gigante demais
adrenalina demais
mas em você ainda reside um coração
que se quebra.

– *autocuidado*

me cansar dos passos
e recorrer ao descanso
como quem precisa olhar
para dentro
para trás
para si

para não parar
para continuar andando:
sento-me na calçada e choro.

está tudo bem desmoronar às vezes.

– *parar também é seguir em frente*

textos para tocar cicatrizes

é andar metade do caminho
mas sempre dar um passo a mais

– *ceder*

afasta de mim o desejo de aprisionar as pessoas que amo em projeções desonestas e expectativas desleais. me liberte da necessidade de sempre pertencer a algo ou alguém. me livra, senhor, de me alimentar com mágoas espessas e rancores mais profundos que o mar.

– súplica a deus

textos para tocar cicatrizes

choro

isso. engole o choro. você precisa acordar no dia
seguinte e trabalhar. fazer reunião de equipe logo
pela manhã, falar sobre as metas da semana, quanto a
empresa faturou no ano fiscal, o quão difícil tem sido
decifrar aquela planilha no Excel. não ceda agora,
você não pode se mostrar tão vulnerável para os seus
colegas de trabalho. se precisar, corre para o banheiro
e lá desabe, chore tudo o que precisou guardar durante
esses anos, todas as brigas abafadas, desentendimentos
mornos e inundações suspensas no ar. você precisa
pagar a conta de luz, de água, o boleto da internet, o
supermercado, as idas aos restaurantes com pessoas
para manter a aparência e a etiqueta social. a cama
precisa ser arrumada, tem sapatos perdidos pela casa
toda, a areia da gata está suja há pelo menos três dias.
engole o choro. você tem fotos da viagem do mês
passado para postar no Instagram. comentários para
responder, que estão perdidos há semanas na caixa
de mensagem, inclusive de amigos, perguntando se

você está melhor, se conseguiu ir à terapia, se está conseguindo se alimentar direito. está? mas não chore agora. engole a lágrima e vá encontrar aquela sua amiga que gosta tanto de falar sobre si mesma – e você, de ouvir. porque você é uma bacia sedimentar onde as pessoas se acham no direito de despejar todas as histórias sem ao menos perguntar: posso? não pode não, você pensa, internamente, mas continua lá, ouvindo e ouvindo. engole o choro. você tem que estudar para a prova de cálculo da faculdade. tem que apresentar um trabalho importante na semana que vem, não há tempo de sofrer por ele. ainda restam as questões do exame da habilitação que você precisa rever. ainda há as reportagens que você precisa ler sobre política e saúde, ficar inteirada na barbárie do país, alguns de seus amigos te esperam em um barzinho agora. não há tempo de chorar, eu sei. quando tem, é debaixo do chuveiro, onde lágrima e água se misturam e se perdem dentro do contexto. você chora lá porque ninguém te demanda emoção alguma e porque nenhum trator social passa por cima de você. mas esse choro que você quer chorar no metrô? para quê? ninguém vai te ouvir mesmo. esse buraco, do tamanho de uma ferida aberta na superfície do universo, ninguém vai preencher. ninguém vai retirar o peso de dois elefantes dos seus ombros; retirar o acúmulo de dor e mágoa e raiva e tristeza de cima do seu peito cansado. então engole isso. passe por cima da sua dor porque tem uma construção ao lado de casa desde as nove da manhã acabando com a paz e o silêncio do apartamento. os cachorros da rua gritam, pedem socorro. o carro do ovo está lá fora, anunciando a promoção da semana. e você ainda

textos para tocar cicatrizes

tem que falar com seus pais, se fazer presente em suas vidas, parecer feliz ou satisfeita. ninguém pode saber que dentro de você uma ansiedade gera filhos. ninguém pode saber que seu sangue brinca de montanha-russa enquanto você tenta se equilibrar entre ser boa para as pessoas e estar viva. você está viva? não responde. só engole o choro de ter sido abandonada e trocada por outra mulher. engole o choro de ter sido colocada em um lugar de múltiplas ausências e abstinências emocionais. não incomode. não fale alto da sua dor. não comente com seu chefe que uma crise do pânico segurou teus pés hoje e os impediram de levantar da cama e ser produtiva no trabalho. não fale para a sua melhor amiga que você passou as últimas doze horas deitada de bruços na cama, sendo engolida pelo calor da tristeza e amargura. não conte aos seus seguidores que todos os domingos são tristes e infelizes: você dorme às nove da noite para não pensar. performe. trabalhe. seja incrível. seja indestrutível. impenetrável. inalcançável. e se quebre inteira, longe, distante, onde nenhuma pessoa chega ou quer saber. que de solidão em solidão, a cada trancafiamento, vamos nos matando, nos aniquilando, nos colocando nas mãos de uma vida miserável e muito, muito comum.

stoned at the nail salon

existe uma angústia no coração do mundo do qual
pouco se fala
aquele microssegundo que existe antes do semáforo
abrir
a adrenalina dos pés que conversam se dá tempo de
atravessar a faixa de pedestres ou não

estamos justamente neste limiar
tentando abraçar a agonia de uma decisão
tão minúscula
mas ao mesmo tempo tão importante:

não saber se é hora de casar ou adiar, novamente,
os planos para o ano que vem;
se é hora de alugar um apartamento e comprar os
móveis ou se tudo bem continuar na casa dos pais;
se a faculdade, depois de seis semestres, ainda faz
sentido ou se abandoná-la agora seria um ato
de coragem;

estamos no calabouço de nós mesmos
com olhos fechados e mãos trêmulas
tomando o tempo todo decisões que nos custarão
noites de sono e fins de semana que não voltam mais
para depois reclamarmos, às terças ou quartas na terapia,
sobre o quão cansados e exaustos continuamos
em um mundo que exige
pés atentos e olhos perseverantes

mas nem tudo é sobre a pressa dos que atravessam a rua
a qualquer custo

porque há aqueles que esperam o sinal abrir, respirando
fundo enquanto os quarenta segundos de sinal verde
desfilam o tempo à frente de seus olhos
aqueles que deitam a cabeça no travesseiro sem grandes
decisões para o dia seguinte
os que não reservam o medo para o sentir
e para a dureza de um mundo que anda cada vez
menos gentil

existe uma angústia no coração das pessoas que ultrapassa
o pânico cotidiano na bolsa de valores
a crise financeira na bolsa debaixo dos nossos olhos
a crise política no bolso dos homens poderosos

algo além dos amores não correspondidos e das festas
regadas a álcool e solidão

algo menos sólido e mais extenso
menos material e mais infinito

textos para tocar cicatrizes

algo menos concreto e mais filosófico
e talvez, quem sabe, mais doloroso

porque com o dinheiro ainda se consegue elaborar
sorrisos
mas e com a falta de amor e empatia?
quanto carinho afeto e paz se compra com bilhões
de reais ou misérias
com quantos prédios se barganha a fome
de milhões de brasileiros que nunca saíram de suas casas
viram o mar
sentiram a brisa leve dos ventos grávidos de futuro?

existe uma agonia em nossas bocas
na superfície do palato
nas terminações nervosas
no fim das nossas próprias preocupações

escrevemos em agendas planos para a semana que vem
que nunca se realizarão
marcamos compromissos com amigos que
não vemos há anos
– ficaremos mais alguns sem vê-los –
elaboramos discussões sobre relacionamentos já
fadados ao fim
e por medo de abandoná-los
abandonamo-nos
esperando que outra pessoa venha e nos resgate

mas lembra?
não sabemos nem atravessar uma rua
com medo da iminência de um carro vir e nos atropelar

mas já estamos atropelados
pelo mundo pela miséria pelos carros
pela bolsa de valores
pelo bolso dos poderosos pelas decisões que não tomamos
pelas decisões que tomamos demais
por tudo que fere
queima
arde e nos parte ao meio.

textos para tocar cicatrizes

é injusto morrer

é injusto morrer antes mesmo de abrir os olhos
e enxergar a beleza do mundo
há tanta coisa que ele queria te mostrar

antes de finalmente descobrir
o passo e a função das pernas
de correr para o colo da mãe
de fugir do susto do pai
de dançar, pequena, porque
o som é uma presença em movimento

antes de completar os dez anos de idade
e descobrir a barba rodopiando no rosto
os pelos escalando as paredes do corpo
a adolescência dando a mão e te convidando para
crescer

é injusto andar na rua e encontrar com a morte
e ainda mais injusto ser encontrado por ela

porque a pele é mais tecido do que o gesto
– a morte muitas vezes tem um rosto
uma cor e um saldo bancário específico

injusto morrer e não se formar na faculdade
que suas mãos lutaram tanto para conseguir
não ter a carreira dos sonhos que desde criança
perseguiu
injusto ser interrompido
ser empurrado para o outro lado
sem ao menos a pergunta:
é isso que você quer?

injusto não encontrar o amor da vida
se apaixonar pela primeira vez
ir a um primeiro encontro
se emocionar com o sentimento
de finalmente ter alguém
com o qual dividir as lutas e o espírito
o apartamento e as contas
a angústia e o prazer da felicidade

é injusto morrer porque
a morte leva tudo: a paz dos dias
a esperança das noites e a luz das manhãs

ela leva os aniversários
as datas especiais
as comemorações de fim de ano

leva os presentes que
seriam comprados

textos para tocar cicatrizes

as surpresas ao recebê-los
as risadas ao compartilhá-los

a morte é feia pois ela leva os quilos
do corpo dos que ficaram para honrar
aquela memória
o apetite da boca e a saliva da língua
viram estados inexistentes e inexpressivos
e a sede apenas mais um nome
irretocável, que se deve respeitar

é injusto morrer porque não sabemos
o que encontraremos do outro lado
se haverá um deus com os braços abertos
e um sorriso do tamanho da terra
ou apenas o breu e a inconsciência eterna
– se na morte descansaremos ou apenas
continuaremos a sobrexistir

é injusto morrer antes de ver o mar
e de ver os olhos do primeiro amor
antes de conseguir dizer eu te amo
uma última vez
uma primeira

injusto deixar tantas pessoas
esperando
tantas lágrimas soltas pela casa
pedindo sua volta
tantas orações enviadas
a alguém que nem se sabe da existência

injusto deixar as preces
como único caminho para uma cura possível

mas a gente não se cura nunca

a morte é sempre uma dor que dói
em um espaço-tempo diferente
consumindo a saúde do corpo
a cada pensamento na pessoa que partiu
apertando o coração a cada vez que
reclamamos: que injusto ela ter ido assim

é sempre injusto morrer
antes de fazer uma tatuagem aos cinquenta
de se apaixonar aos sessenta
de ir embora depois da hora marcada
com o mar e um novo amor.

textos para tocar cicatrizes

coco, a vida é uma festa

é uma dor que não se modifica. afunda tenra na membrana do peito. prende a respiração e entorpece a fala, agride qualquer possibilidade de voz. é uma dor infinita, que toma o corpo como se roubasse todo o ar do ambiente. o pescoço pressionado contra a apatia de um país pequeno apesar de continental. a vida amordaçada pela desesperança de que a gente consiga sair dessa vivos. vivos? a troco de quê? que passaremos por isso não me resta dúvidas. mas como ficaremos depois do fim? da tragédia que se encorpou à pele e virou tecido, órgão, células. se o horror virou um corpo para o qual olhamos todos os dias com os olhos desassustados? é uma falta de sentido que dói até os mais desconhecidos dos lugares. que fere de ausência qualquer parte nossa que ousa reagir. que estapeia nossas vontades pequenas e espatifa no chão a adrenalina da vida correndo lá fora. a morte é horrorosa. é ridícula. é estúpida. mas sobretudo humana. e é por isso que dói ainda mais. dói porque

faz parte do ciclo já aceitado da existência. sabe-se que
virá em algum momento inerte. que levará alguém
que amamos ou mesmo a nós sem pedir licença, sem
bater na porta, sem explicar-se. ela vai tirando e se
alimentando da angústia dos que ficaram para contar
história. e meu deus... como é ruim ter que contá-
-la. ter que dizer assim: ele era tão especial. ela era
tão incrível. a risada dele era tão contagiante. a voz
dela era o som mais especial que já ouvi na vida. e de
repente um choro que gangrena até as mais fortes e
firmes gargantas. uma lágrima que pesa o tamanho de
elefantes africanos. uma dor, mas uma dor, que não se
descreve em livros ou em bibliotecas. uma dor que não
se mede com a quantidade de letras colocadas uma a
uma na intenção de explicar como é viver mesmo após
alguém levar um pedaço da gente. uma dor que não
cabe no dicionário humano porque, como humanos,
não sabemos como é ir. a morte é ridícula porque
nos retira do eixo e da linha razoável que mantém o
mundo funcionando. e quando perdemos alguém que
amamos, assim, inesperadamente, aí é que dói mais. e
a dor vai se misturando à respiração, que porventura se
mistura à saliva seca e à língua morta de vida e, enfim,
cai irrealizada no calabouço que chamamos de corpo. e
não há culpa na morte. não podemos culpá-la de existir
em sua tarefa de impedir que soframos mais ou que
existamos em um tempo errado. não podemos olhar em
seus olhos e gritar, espernear, pedir de volta, implorar
que os dias voltem atrás, as semanas regridam, os meses
peçam para morar, novamente, nos anos anteriores. a
morte é irreparável e irreprimível. insolente e íntegra
em sua própria vontade. ela não renega sua hora, ela

textos para tocar cicatrizes

apenas chega e vai. e que infelicidade a nossa. que infelicidade sermos tão pequenos, frágeis, materiais, que tão fácil é nos levar. que é tão tácito, irrecuperável, irresistível nos levar. e não há poesia na morte. não há do que se tirar um sentido ou uma sabedoria que poderia curar o mundo do choro de perder. não há lição sobre se despedir de alguém que se ama muito. não há aprendizado sobre deixar de olhar no olho vivo daquele que te faz se sentir brilhando no mundo. que ironia. que ironia estarmos vivos enquanto outros estão à beira de encontrá-la. lúcida, dura em si mesma, inegociável. quando é hora, é hora. quando é tempo, é tempo. é sempre a mesma dor, o mesmo horror e o mesmo susto. a dor não para de doer nunca. procura sempre outro motivo para latejar e existir serena.

igor pires

evermore

sinto que estamos morrendo
de solidões sufocadas
em apartamentos cuja metragem
não vale as horas de trabalho e sanidade mental
que deixamos escapar na mesa do escritório.
morrendo de vazios tão grandes
que não há espaço para qualquer espanto fora de hora
como quando alguém nos pergunta se está tudo bem
e realmente quer saber da cratera e da fenda
que se alimenta de nós
vazios tão espaçosos que não sobra lugar para
o amor inesperado que avança pelas tardes de sol na cidade
para sentarmos lado a lado com alguém desconhecido
e torná-lo a única a pessoa a compreender onde vivem
os defeitos e
onde se penduram
nossas angústias

textos para tocar cicatrizes

carregamos tantos vazios cheios de mágoa
que não há tempo para relógios um pouco atrasados
para encontros adiados pelo destino
agendas desajustadas de pessoas também desajustadas
para conversas que não voltam no tempo
e perdões que devem demorar a aparecer

sinto que afogamos nossas solidões
em piscinas rasas de condomínios caros
para escaparmos de não saber ou lidar
mas deixar que nossas agonias flutuem
no mar da dúvida
ainda é abrir os braços para o incerto e esperar
que o mundo não afogue nossos sonhos

e para festas levamos todas as nossas dores
na esperança de que se sintam menos sozinhas
ou despercebidas
atravessando drinques e corpos alheios
tatuando beijos e transas desconexas
sendo palco para dias seguintes e romances
que duram
o infinito de duas semanas
(o tempo é uma sutura do universo)

e para nos livrarmos do gosto amargo
da solidão de um sábado à noite
vamos a aniversários de amigos distantes
e reatamos amizades
que se perderiam no passado
se não fôssemos tão carentes
de toques e de alguém que nos abençoe
a língua

carentes das oito horas de sono
que se transformaram em cinco
em nome do crescimento profissional
carentes das noites adolescentes cuja única
preocupação era como consertar o coração partido

textos para tocar cicatrizes

antes de arriscar novos voos nos braços de outra pessoa
antes de se ferir novamente e ter alguma história para contar
carentes da voz de uma mãe que outrora conhecia seu filho
e hoje apenas o ama em silêncio

mas hoje caminhamos com o mesmo
coração quebrado
rumo a apartamentos ainda menores
e festas que não nos brilharão o peito
e beijos que facilmente serão esquecidos
e transas rápidas para uma vida eterna
e dias seguintes que não duram o
tempo do sol brilhando no céu
rumo ao álcool e piscinas rasas
rumo a ligações mais curtas do que um
eu te amo dito na hora errada
rumo a tudo que alivie o peso de carregar
enfim o vazio
das coisas pequenas e, ainda assim, cotidianas.

quando o atrito não passa
da primeira camada

havia tanta pressa em consumi-lo que esqueceu de
conhecê-lo. tanta sede pelo sexo, pela língua deslizando
quente pelo corpo, pelas mãos descobrindo novos
mundos, que se esqueceu de olhar no olho, exprimir da
pele o encantamento. foi ao encontro, à transa marcada
para o meio da semana, para o fim de si mesmo, sem
perguntar. sem se questionar se era isso que queria,
como queria, se estava tudo bem. estava? mas também
não se permitia perguntas. não se permitia grandes
discussões ou debates sobre como se arrastava de lugar
em lugar a fim de encontrar um conforto, quando o
conforto poderia achar no próprio colo. foi tão avulso
ao encontro dele, que esqueceu de desmembrar o que
no outro era humano, imenso, colossal. o que no outro
era vivido, ácido, contemporâneo. o que no outro se
mexia, vibrava, pulava feito fantasia de carnaval. ele
acreditava estar ali por conexão, fome de mundo,
curiosidade ou mero prazer, mas mal sabia que sua

textos para tocar cicatrizes

fome, na verdade, era de afeto. de algo mais profundo e oceânico. de um carinho que atravessa todas as camadas da pele, que inclusive chega a ferir o território do orgulho. ele tinha fome de comida que língua alguma supre, que beijo algum sacia, que sexo algum provê. a fome de encontrar um sentido na vida, uma explicação para o mundo, um rumo para o viver-nos-cantos. ele queria revirar os olhos, satisfazer a libido, encantar a ponta do tesão, mas estava fraco, enterrado na própria solidão crua e fria e concreta. uma solidão de anos, pois fazia anos que não encontrava com alguém que lhe tirasse do prumo, do eixo, dos sonhos. e então fechava os olhos, abria a porta de casa, e ia. ia tanto, ia muito, ia sempre. ia como se fosse para uma guerra, um encontro fatal onde dois corpos finalmente colidem para que se desmontem e vivam aos cacos. para que no dia seguinte não tenha telefonema ou mensagem ou pedido de desculpas ou tudo bem com você? porque no dia seguinte o atrito fará dos corpos dois continentes ilhados e sozinhos em suas próprias margens, limites, suposições. ele permanecerá sozinho na rotina do trabalho, emprego insuportável e vida brutal esperando ser engolida pelo isolamento; o outro continuará sua vida lendo artigos acadêmicos e bebendo caipirinha com os amigos aos fins de semana. enquanto isso, a solidão cresce, se expande, fica comprida no meio de duas pessoas feitas para se conhecer, mas que só se consumiram, colidiram, se espatifaram no chão da vida. miúdos, solitários, mas perfeitamente humanos.

macarrão instantâneo

solidão é o miojo
que você faz às dez da noite
de uma terça-feira em que
o trabalho só não puxou seu
cérebro para fora porque
depois o processo trabalhista
seria desgastante

você chega em casa
exausto
e se depara com todos os
danos psicológicos que não só
o emprego dos sonhos
mas também o mundo desmoronando
e o resto da semana
são capazes de causar
e então se entrega à praticidade
de comer uma massa instantânea
que vai te custar o tempo recorde

textos para tocar cicatrizes

de três minutos
cento e oitenta segundos

mas de instantânea ela não tem nada
na verdade
ela é apenas uma história que você se conta
todas as noites para não ter de pensar
no quão sozinho você é
e no quanto a solidão está inserida
em gestos pequenos e cotidianos
da vida moderna

solidão é a sua espera
por mensagens que nunca vão chegar
você pega o celular pela manhã
como se pegasse a atenção da sua mãe
e amarrasse no próprio pescoço
a ansiedade de ler a resposta
de uma pessoa específica

mas não está ali
o texto que seus olhos esperavam absorver
como absorvemos mentiras ditas repetidas vezes

não está ali
as palavras que sua retina gostaria
de abraçar

não está ali
o pulo rumo à reconciliação

[algumas pessoas nunca abriram os olhos para você]

a conversa não acordou junto com o seu sono
e solidão é você andando pela casa
procurando respostas para as perguntas
que fez na noite anterior
eu te entendo: a gente costuma cavar
um poço dentro de outro
quando nos sentimos perdidos

mas neste ponto
todos nós estamos, não é?
sozinhos e perdidos

solidão é o momento
no qual você assiste a todos os seus
vídeos favoritos no YouTube
pouco antes de dormir
te fizeram uma playlist exclusiva
com as músicas que mais gosta
e de repente você acredita
que alguém no mundo te compreende
algum algoritmo da internet te entende melhor do que
ninguém
e esse é o único travesseiro que
te abraça
te faz sonhar

nos fizeram crer
que estaríamos menos sozinhos
com a quantidade de seguidores
nas redes sociais
que o coração seria
preenchido com likes

textos para tocar cicatrizes

e que nossas bocas
seriam alimentadas
com comentários sobre
como estamos felizes

mas estamos sozinhos e
com fome
não é?

solidão é a baia do escritório
que te separa da sua colega de trabalho
a posição da mesa ditando
o que você deve fazer
como deve se comportar
qual postura precisa obter
e daquele cômodo
nada se sabe
nada se tem

por exemplo
você não sabe que sua colega
de trabalho tem depressão
e toma remédio todos os dias
ela não sabe que você
chora no banheiro
porque faz dois meses
que terminou um namoro
e ainda assim
o barulho das lágrimas
e a falta de respostas
são as únicas companhias que
te aguardam à noite

mas estamos
todos bem, não é?

temos uma boca para ser alimentada
a expectativa de receber a mensagem
amanhã de manhã
a playlist de vídeos feita sob medida
um trabalho que paga as nossas contas
os comentários nas fotos do instagram
e o miojo instantâneo
de três minutos
e cento e oitenta segundos.

textos para tocar cicatrizes

eu quero saber tudo mesmo que tudo seja
uma palavra muito comprida

270   me conte sobre seus traumas.
da vez que prendeu o dedo na porta quando era criança,
dos sonhos e das vezes que chorou enquanto
voltava para casa cansado da vida,
do país,
de tudo.

fale onde dói, mas especifique a dor,
que é para eu saber aonde não ir,
onde não pisar meus pés ignorantes e tão alheios.

diga-me seus fracassos
sobre as mágoas que causou em outras pessoas
conta porque eu quero saber tudo sobre você,
os erros, acertos e toda a humanidade que te habita e
não te escapa.

me conte sobre quem te machucou o coração
quem fez você desacreditar no amor,
repreender o amor, amaldiçoar o amor.
e quem fez você acreditar novamente;
o que houve para que seus olhos brilhassem
e retornassem ao mundo outra vez.

você prefere arroz embaixo ou em cima do feijão?
quantos pães você come no café da manhã?
café com açúcar ou sem?
quantas horas por dia você dorme?
eu quero saber tudo mesmo que tudo seja uma palavra
muito comprida.
eu quero saber tudo mesmo que, no fim,
eu não saiba nada.
eu quero compreender o que você é,
o que te fez chegar aqui.

quantas vezes você já amou? quantas vezes foi amado?
existe um abismo entre essas duas perguntas
e as respostas parecem terríveis.
qual sua cor favorita no céu das seis da tarde?
como foi a primeira vez que alguém
te olhou nos olhos e finalmente te percebeu?
como é que você faz para ser tão bonito?

me conta sobre algum tombo.
alguma situação constrangedora que enfrentou.
alguma vez que perdeu o sono porque estava ansioso.
algum dia que ansiedade foi seu sobrenome.
o que te comove, o que te faz brilhar?
me conta sobre quem te falou dos amores impossíveis,

textos para tocar cicatrizes

quem te disse que você não merecia amar
quem distorceu a sua visão do amor.

me conta que eu quero saber tudo
mesmo que tudo seja uma palavra grande demais
para caber nesta conversa.

me conta que eu conto também.

descanso

se nem mesmo o mar permanece depois de beijar
a orla da praia
por que a dor permaneceria?

esta dor que te queima vivo agora
que te questiona e te arranca para fora do conforto
a dor que te pede por respostas impossíveis e dias
amenos felizes completos
a dor que te pede bem-estar e sorrisos falsos
palavras prontas sempre que te perguntam
como você está

você mente dizendo
"estou bem"
mas a comida está em cima da pia
a louça com os pratos sujos
as atividades acumuladas da faculdade
as tarefas do trabalho incompletas e abandonadas
e as séries na tv como única paisagem que seus olhos
têm avistado pelos últimos três dias

textos para tocar cicatrizes

esta dor e adrenalina de não saber o que virá
porque tanta coisa pode vir
a morte
a vida intensa
abraços de pessoas que você não vê faz anos
as festas que nunca mais encontraram
refúgio no teu corpo
a bebida que sua língua deixou de sentir

a dor da ansiedade amassando teu pescoço
toda vez que acorda e o vazio permanece
adormecido ao lado direito na cama
a dor do silêncio de todas as janelas
vizinhos
carros
comércio
tudo ficou silencioso de repente
você percebe
tudo morreu um pouquinho mais
desde que cresci meus ouvidos
você diz
e a angústia de se perceber sozinho
desamparado
seco torto drenado molecular
é o que te mantém

mas eu te pergunto
qual dor é eterna?
qual estrela, queimando anos em solidão, permanece
acesa no espaço?
qual ferida existe inexorável no corpo humano?
qual lágrima continua rolando pelo rosto de

quem nunca se emocionou com a chuva caindo
e a vida existindo e o planeta em rotação ininterrupta?

que dor se atreve a envelhecer
e a morrer idosa?

que dor se atreve a te habitar
até que em ti não exista nada a não ser matéria
poeira cósmica
cinzas?

olhe para os dias quando doer
e observe como tudo é temporário
passageiro
febril

olhe para a beleza das nuvens
atravessando, por teimosia, o rosto do sol

mire a lua, que, em sua complexidade iluminada,
deixa de existir por muitos dias na superfície da terra

observe o mar
e como ele usa de sua ressaca para avisar
que no dia seguinte haverá sossego

é isto que estou tentando lhe dizer:
haverá sossego e descanso em sua dor.

textos para tocar cicatrizes

lista para ler antes de
rodopiar na rua enquanto chove

**1. você vai errar com pessoas que
ama.** vai ser imaturo, birrento, egoísta
e ruim. você será ruim com pessoas
que ama. e o remorso, a culpa ou o
sentimento de "preciso voltar atrás,
aqui neste ponto" poderá aparecer
pouco depois da situação ou poderá
demorar meses, quem sabe anos. é
importante você ter em mente que,
sim, isso é um aviso para voltar àquele
momento que te dividiu e te tornou
diferente do que era antes para o
que é agora. o lapso de consciência,
a conversa que não veio, o silêncio
descomunal: vomite antes que te mate.
que te afogue e te coloque sob um
jugo pesado e que te não faz crescer.

2. solidão é um processo contínuo e duradouro. vai demorar deste verão até outro. quem sabe um pouco menos. pode ser constante, até mesmo quando você encontra aquela-pessoa-incrível-que-te-faz-flutuar-em-plumas-douradas. porque a gente passa muito tempo procurando alguém e, assim que encontramos, percebemos que o vazio, o oco e o silêncio permanecem. e vão permanecer pois eles são os vieses da vida. ou melhor: são as partes que a vida nos dá para que aprendamos, ferrenhamente, a sermos da melhor maneira possível. sermos pessoas melhores, amigos, pais, filhos, namorados e assim por diante. a solidão molda a gente. faz a gente pedir perdão. rever conceitos. investigar o porquê de determinado movimento. o porquê do coração latejar sozinho até quando há uma festa dentro do seu quarto com todos os vizinhos mais legais do planeta terra. a solidão opera um milagre na nossa mente no sentido de nos permitir que evoluamos. passa a não doer estar consigo mesmo. passa a ser magnífica a experiência de olhar para si com olhos calmos, tranquilos, sem o barulho do mundo. passa a ser intransigente qualquer outro movimento de alguém que não o seu. a solidão ensina você a colocar a mão na própria pele; a não ter medo do próprio pensamento; a tentar entender tudo que você é: da pele ao coração, da maneira como respira à maneira como ama. o espaço que a solidão exerce com você é sobretudo para te ensinar. para dizer: olha aqui, olha bem para você, você está aqui porque precisa crescer. porque precisa aprender a estreitar o laço afetivo e honesto consigo mesmo. porque ninguém vai te salvar de você. porque a responsabilidade do cuidado não vem de fora: é você quem precisa estender as mãos, pegar o próprio coração e sair correndo.

3. relacionamento afetivo não tem que ser seu projeto de vida. seu projeto de vida é você. se dormiu bem. se acordou disposta e disponível para o mundo. se o coração ainda queima por sentir o sol. se o peito ainda estrala de felicidade quando vê os amigos. quando sente o colo da mãe. quando a cerveja do bar está geladinha. quando as músicas aleatórias do celular dão as mãos e a sequência fica audível por horas e horas. seu projeto de vida tem que ser você fazendo as pazes com o que te habita internamente. quando você doma todos os seus medos. quando você não alimenta as inseguranças. quando você estende seus ouvidos para ouvir o que tua alma está dizendo. quando sua autoestima não

é detonada por palavras de ordem.
se, por causa disso, você consegue
olhar para si mesmo com compaixão,
com afeto e amor. se, depois de você
absorver cada característica que te
forma e saber de todos os traumas, e
ao saber, consegue tratá-los. se você
consegue descobrir todos os caminhos
oscilantes que dão para o centro da
sua dor. se você consegue identificar
onde exatamente está o buraco por
onde vazam as suas lágrimas. o único
relacionamento afetivo que importa,
agora, é o seu com você mesmo.
aproveita o tempo ocioso e crie pontes
entre sua essência e o seu estar no
mundo. expanda o corpo. cresça a
mente, o espírito, coração.

4. autoestima é apenas uma montanha-russa. às vezes,
nosso carrinho está lá em cima. às vezes, lá embaixo.
não se esqueça, no entanto, de que você é um parque
de diversões inteiro, com outros caminhos, atrações e
destinos. você precisa, sim, ficar horas na fila até entrar
e sentir a adrenalina e a frustração do sentimento. mas
o passeio é maior do que isso e você precisa esperar a
vez em outros brinquedos, precisa se vestir com outros
passatempos, precisa revisitar outros espaços, traumas,
quem sabe soluções. e precisa, também, se curtir. o
momento, outros frios na barriga, outras descobertas.
uma montanha-russa não pode definir você e aquilo
que você é. a gente pode trabalhar nossa autoestima

diariamente, mas precisamos saber que há outras coisas que podem ser trabalhadas. e que estão lá (ou melhor, aqui dentro), implorando para serem vistas. não torne seu carrinho a única atração do seu incrível, maravilhoso e magnífico parque de diversões.

5. o medo vai brotar nas suas costas diariamente. vai supor diálogos. quererá explicações. e você tentará pular numa piscina vazia, fazendo alusão àquela vez que tentou fugir porque fugir parecia certo e menos doloroso. ninguém quer encarar o medo. mas ele está aqui. e estará amanhã. e em dezembro. o ponto é que se você não descobrir maneiras de olhar olho-no--olho, de insistir no contato físico, de tentar desdobrá-lo, entendê-lo e mandá-lo passear, ele continuará colocando em você uma espécie de fardo. medo do amanhã. medo do que virá. de nunca encontrar alguém. de não amar novamente. de falhar com seus amigos. com a família. comigo mesma. e assim por diante. o que fazer? não permitir a chantagem. antes disso, levantar a voz, gritar: hoje não! hoje não permito o medo se instalar. hoje não! hoje não permito o medo tirar de mim a capacidade messiânica que sinto em viver cada milésimo de segundo e aproveitar ao máximo minha existência no mundo.

6. ferida não cicatriza de um dia para o outro. demanda tempo, esforço, cuidado e até mesmo carinho. é preciso construir um altar imaculado em volta da dor que ficou na pele, na memória, no coração. é essencial conversar com ela, tirá-la da parede do quarto, colocá-la frente a frente numa conversa reveladora de por que aquilo dói tanto. é preciso ser honesto consigo para seguir. 'errei aqui'. 'falhei naquilo'. 'fui horrível aqui também'. 'eu não deveria ter colocado tal pessoa num pedestal'. 'eu não deveria ter me colocado num pedestal'. e assim sucessivamente. ferida não sara se a gente coloca flor ao redor dela. ferida cicatriza quando a gente confronta, enfrenta e descasca para, depois sim, viver a rotina como se ela não estivesse ali. você já viu uma ferida em processo de cicatrização? quanto mais você coloca o dedo, mais seu organismo entende que aquela parte precisa de proteção. não permita que ela cresça e tome conta de você. ao contrário: que você a conheça tão bem que seja capaz de deixá--la sair do seu corpo, organismo, casa, vida, tudo o mais.

7. você é uma boa pessoa.
se te conforta saber, todos nós estamos errando diariamente com as mesmas coisas. socamos a mesma ponta de faca toda

textos para tocar cicatrizes

vez. voltamos e tentamos seguir pelo mesmo caminho tortuoso que das outras vezes. exercemos nossa mais humana capacidade de errar, falhar, ferir e ser ferido. para continuarmos amanhã. semana que vem. daqui quinze anos. o meu conselho? tente entender o que você é. seu lugar no mundo. qual espaço você ocupa na vida. na sua vida. se você compreender o milagre da sua existência quem sabe [quem sabe] os outros também farão o mesmo. existir e viver, que se alinham na mesma frequência, partem daquilo que você é.

e você é lindo.

árvore bonita

faz parte de todo o processo humano, meu bem, você
não vê? toda vez que lhe cortam as asas, lhe podam as
folhas, lhe lançam as adagas, uma nova possibilidade
se renova, se faz presente. este corte aí vai virar cicatriz
em algum momento. em algum momento, a dor dará
as mãos ao tempo e, juntos, eles começarão a dança
do acasalamento: é a cura nascendo de um amor
recíproco. são as memórias dele indo embora do teu
corpo, escoando para lugares que teus pés não pisarão
nem tão cedo. nada em ti foi feito para perdurar. você
não consegue enxergar o propósito nisso tudo? na
angústia faminta e no medo amedrontador e nas vezes
em que a lágrima escorre lenta e leve pelo rosto? eu te
explico: uma vez arrancaram uma árvore aqui na rua
do bairro. as pessoas diziam: corta ela! corta ela! corta
ela! e então, num dia cinza de junho, lá estavam os
homens, empunhando sobre si a autoridade (que nem
todos haviam lhes concedido) e começaram a cortá-la.
da janela do meu quarto pude ouvi-la se contorcer em

textos para tocar cicatrizes

dor. gritava, coitada. gritava a dor de ser cortada por mãos insolentes; gritava a força, que agora se esfarelava diante dos olhos curiosos dos moradores; gritava altiva na única maneira que tinha de ser ouvida. uma hora depois não existia árvore nenhuma ali. apenas uma porção de terra, com um pequeno, minúsculo, tronco à vista. a rua ficou triste. o céu chorou por duas semanas consecutivas. deus não falou comigo nesse meio-tempo. e anos se passaram. eu cresci, ganhei pele e músculo, ganhei tato e resiliência, adquiri força e um pouco de coragem. eu tinha 18 quando precisei sair do estado para estudar. e aí que eu passei um ano inteirinho fora de casa, longe daquela rua e da árvore a qual havia me feito chorar e sofrer pelas coisas que, aparentemente, se quebram e não voltam mais. quando retornei para casa, nas férias do meio de ano, eu tomei um susto. um susto bem grande e alegre no meio do peito! quem é que estava lá? a bendita árvore. estava seca, magra, mas, ainda assim, percebia-a crescendo, ganhando forma e volume, afirmando-se soberana, majestosa, inquebrável. perguntei à minha mãe qual era a da árvore. minha mãe me olhou nos olhos, sorrindo doce, me dizendo: "filho, durante anos, quando você era mais novo, tentaram porque tentaram arrancá-la dali. vixe. teve uma vez que até chamaram o corpo de bombeiros. mas nada, filho! nada dela desistir do seu espaço, daquela porção de terra que se alimenta dela e da qual ela come e vive também. ela sempre crescia mais forte, como se dissesse que sobre ela ninguém teria poder. e não temos mesmo, meu filho. e você sabe qual é o fato mais impressionante sobre a árvore? ela é o reflexo do que nós, seres humanos, somos.

mesmo quebrados, estilhaçados, cortados até a raiz, em algum momento nós damos conta de voltar à tona, voltar a si. toda vez que pensamos ser o nosso fim, um novo dia, uma nova primavera, um novo tempo estica-se sobre nós e nos concede a honra, a graça, o privilégio de respirar. nós somos árvores bonitas, meu filho! andando e respirando por aí". você não vê, menina boba? que também és uma árvore. que a todo momento que tentam lhe cortar, lhe tolher, lhe arrancar do teu lugar, você volta mais forte, mais resignada, mais resiliente? você não percebe que toda vez que alguém lhe machuca, novas maneiras de sobrevivência começam a grudar na tua pele; novas formas de autoproteção começam a se arquitetar para te manter, novamente, mais forte e ainda mais incômoda? o problema, agora, é que você chama a atenção. você expande os braços, os galhos, os ganhos, as flores. você fica mais perto do céu! você entende isso, pequena semente? você compreende o milagre da existência humana, no final das contas? a árvore da minha rua, dia desses, voltou a florescer. eu disse ao meu vizinho que a árvore era o reflexo de nós, não desistiria de si tão facilmente. ele ficou me olhando, me encarando, até dizer: é, não vai ter mais jeito. teremos que deixá-la aí. faz parte de todo o processo, meu bem. passar pelos términos, pelos finais de relacionamentos românticos ou afetivos, pelos ciclos no trabalho, na faculdade, mesmo nossas células têm um tempo específico de vida, de existência no mundo. as fases, as perdas, as derrotas, os momentos de sofreguidão, as vontades de ficar na cama para sempre, as angústias de não se perceber suficiente, os traumas todos morando na

textos para tocar cicatrizes

pele e se fazendo presente, tudo, tudo isso é passageiro
e tem o seu final na próxima gota de chuva que cai.
no próximo raio de luz que estende-se sobre nossas
cabeças. na próxima oração proferida ao redor da nossa
fé. o teu fim é apenas o começo. ele é apenas uma parte,
minúscula, de um lugar muito bonito, de paz e de
leveza no qual você vai chegar.
você não percebe, bobinha? estás cada dia mais
próxima do céu.

toda cicatriz é um rastro de história

perdemos: dente, roupas, melhores amigos,
filmes, aulas, tudo. e que dádiva é saber perder.
que dádiva é noticiar a presença de outro dente
nascendo ao redor da boca, ao lado da cura,
no infinito de tudo.

textos para tocar cicatrizes

sozinho

eu sou sozinho
como sozinhos são os milhares de
peixes que se perdem do cardume
e estão por aí
em alguma parte do Oceano Atlântico
lamentando a perda
mas seguindo em frente

como aquele banco
do ônibus cuja goteira
espanta o pior
dos cansados
o último assento
à direita, próximo à janela
o mais difícil de ser pego
porque tem sempre duas pessoas
dificultando seu acesso

eu sou a goteira e a dificuldade

sozinho
como as dezenas de páginas

em branco do caderno da faculdade
em que o semestre foi encurtado
e não tendo sobre o que escrever
é deixado de lado
debaixo de uma pilha de outros livros
esquecido na memória do estudante
que sempre compra outro
e o ciclo recomeça

eu sou sozinho como
alguma ilha que vive virgem
livre de visitantes
em algum lugar entre
o começo do Brasil e o final dele
e nesta ilha tem
cadernos em branco
bancos com goteira
peixes perdidos do cardume

sou sozinho
como a tomada abandonada da casa
porque o encaixe
está um pouco frouxo
e os moradores não têm
paciência para segurar o
cabo do celular e ficar ali

eu sou sozinho como
aquela gota do chuveiro
que não cai
mas permanece à mostra
beirando o possível

textos para tocar cicatrizes

e eu me pergunto
será que um dia
eu caio no chão?
será que um dia
eu molho o corpo cansado
dos que moram
na casa da tomada
frouxa e sozinha?

eu sou sozinho
como o pão
duro que amanhece
sem função alguma
a não ser viver
dentro do saco
sem serventia
sem aguçar nenhum
apetite
esperando para ser transformado
em outra-coisa
torrada, talvez

eu sou sozinho como
a maçã que escorre
da feira de quinta
empurrada pela água
do caminhão-pipa
e fica próxima
de cair no bueiro
pendurada no esquecimento

eu sou sozinho como
tantas outras coisas também o são
que me pergunto
vez ou outra
por qual razão escrevo
se no final do dia
a maçã continua
a um palmo de se esborrachar
no esgoto
o pão a um dia de ser
colocado no forno
a gota a uma mão de ser
arrancada para fora do chuveiro
a tomada a uns dias
de ser finalmente
consertada
a ilha a alguns estudos
de ser encontrada pelos humanos
os livros a um semestre de
serem jogados no lixo
o banco a poucos minutos
de ser descoberto por alguém
extremamente cansado
e os peixes seguindo como
se não tivessem medo
da imensidão da vida.

mas continuo escrevendo.
há uma solidão do
tamanho do Oceano Atlântico em mim.

textos para tocar cicatrizes

parasita

cheguei à conclusão
de que é a dor que se
alimenta de mim

pouco antes de dormir
ela se apronta debaixo
dos meus olhos
e espera uma lágrima
seca
e solitária
c
a
i
r
para se saciar.

igor pires

ursos-polares

descobri o que era ansiedade
no dia que dois ursos-polares
apareceram no meu quarto

naquela manhã de segunda-feira
o peso dos animais me impediu de
levantar da cama
e junto a eles meu coração
decidiu correr mais forte
ventar o sangue
bater na tessitura da pele
como quem dissesse: quero sair daqui

eu quase acreditei que ele queria sair
de mim
naquela manhã de segunda-feira

descobri o que significava ansiedade
quando tudo o que meus olhos
viram foi a escuridão do mundo

textos para tocar cicatrizes

eu tinha voltado
aos primeiros versículos da bíblia
ao momento exato em que deus olhou para a terra
e encontrou o breu

eu era o breu ali

de repente os ursos começaram
a conversar com as batidas do meu coração
permanecendo por quase uma hora
fiéis ao diálogo
à promessa de me apresentarem
a pior sensação do universo
que é a de tentar se mexer e não sair do lugar

existia uma areia movediça no lugar da cama
o ar comprimindo tudo
menos ele mesmo

o sol que tilintava na janela
era o único espectador da tragédia
e o meu corpo estático
sentado na cama
tirando forças para levantar,
o único supermercado aberto da cidade

o frio queimando as gôndolas
a falta de ar derrubando todos os produtos
os pensamentos correndo como
clientes para pegar o último pedaço
de mim
que estava na promoção

igor pires

textos para tocar cicatrizes

enquanto tentava entender
o que acontecia
me dava conta de que
os ursos também estavam dentro
do supermercado
que eles se sentavam
no lugar dos atendentes
esperando a hora que eu fosse sair
atravessar a porta de entrada
levantar da cama
fazer alguma coisa

mas eu não tinha nada para dar a eles
eu nunca tive
e entendi que
não adiantava correr ou lutar
os dois animais gigantescos
estavam morando nos meus ombros
e eles eram pesados demais para
qualquer esforço

vulcões cantavam dentro de mim
o peso da Antártida lambia o meu corpo
o ar ganhava novos aspectos
e importância
e eu descobriria que não havia como vencer
a batalha contra alguém que se conhece
pela primeira vez.

feliz ano-novo

foram dois minutos de overdose
você disse

e que durante os cento e vinte segundos
de terror que se esticaram sobre seu corpo
meu nome foi a gota de chuva
tilintando na janela da sua consciência
o mel que o beija-flor
volta novamente para roubar
o último movimento do furacão
que já destruiu uma cidade inteira

meu nome ficou transitando entre suas sinapses
disputando maratonas imaginárias com os neurônios
percorrendo rapidamente seu sangue
correndo atrás de uma possível medalha de ouro
e os olhos procurando qualquer espécie
de conforto ou possibilidade de voltar ao mundo real
ou a mim

textos para tocar cicatrizes

mas eu não estava lá
eu não estava

enquanto isso, no sábado de réveillon,
eu jantava elevando sorrisos com a minha família
e, no entanto, meu coração permanecia ansioso
na esperança de que deus pudesse contemplá-lo
o suficiente para ajudá-lo a não sucumbir
para não fazê-lo parar ali mesmo de tamanha
preocupação contigo
ainda assim, o arroz era engolido pela boca
e a crise fazia carnificina em meu estômago

a oração, na hora do agradecimento, pedia para que nós
terminássemos bem ou em paz
para que a pandemia acabasse logo
o vírus soubesse a hora de partir
e para que as estrelas finalmente
tivessem seu merecido lugar de reconhecimento
junto a deus

durante as palavras entoadas do âmago
da sinceridade, a quilômetros de distância dali,
você pulava corda com metais preciosos
acessava mundos em que nunca estive ou estarei
experimentava os milésimos de segundos de inanição
a que a adrenalina da morte te submete
dançava sobre minhas angústias
enforcando-se com todas as projeções que inventei
de como você era o cara perfeito e ideal

mas você não era e nunca foi
eu não estava lá para te puxar pelo braço
e colocar minha boca na sua
caso a respiração esquecesse de existir por alguns
segundos
não havia anjos ao seu redor para te ver
tentar a vida
o ar
tentar os olhos abertos e o coração calmo e estável

"pediram para eu não fechar os olhos
para eu ficar ali
para não esmorecer
e eu só pensava em você
gritava teu nome"

mas chamar por mim era como
naufragar no oceano por falta de bote no navio
anos de natação não te salvariam dos séculos
de história que um mar carrega

era como ir à igreja sem fé alguma
mas crer que deus te salvaria de si mesmo

era trocar minutos de prazer e dependência
por uma vida inteira de amor e sobriedade

só que você nunca me escolheu
ou escolheria

você nunca escolheria meu nome como
único caminho para chegar ao divino

textos para tocar cicatrizes

gritar por mim não mudaria o fato de que
estávamos a quilômetros de distância procurando
formas diferentes para se aliviar
não mudaria o fato de que
a única maneira que minha língua encontrou
para se perceber viva era morando na sua
não mudaria o fato de que enfim estávamos
fazendo escolhas que bagunçariam para sempre o
rumo das nossas vidas
cpfs
endereços
emoções

puxar meu nome no ar com a língua
e pedir por ajuda às 7h da manhã
do primeiro domingo do ano
não mudaria o fato de que eu não estava ali
que vício em sua boca era uma palavra
transformada em luto ou redenção
que havíamos optado por formas distintas
de pegar a vida pelas mãos e dançar
todavia você dançava
ontem
muito
tanto
sempre
e hoje eu me pergunto como pude não conseguir
dançar também
como não fui capaz de estar lá
te olhar nos olhos e dizer que tudo ficaria bem
mergulhar dentro da dor e te tirar do vazio
que existe em qualquer ato de desespero

e qualquer estado de solidão
quando o último dos movimentos é o corpo tremendo
o peito pulsando e a vida em tempo de ir embora

por muitos meses me perguntei
como para você era melhor manter
o mundo inteiro debaixo da língua
do que tê-lo ao seu lado
e tropeçava em todos os porquês
que não se resolveriam e explicariam
duas pessoas se amarem tanto mas precisarem partir

partimos.

você sobreviveu àquele dia
eu não.

textos para tocar cicatrizes

toronto

durante os últimos meses o que tentei fazer foi dissolver
a culpa que me abraçou no instante exato em que eu
disse: *não dá mais*
porque não dava mais muito antes daquela sexta-feira,
de janeiro,
de 2022

não dava mais talvez quatro meses antes
quando percebi que, para você, o nosso relacionamento
se tratava de uma espécie de experimento. era sobre
como eu poderia te amar por inteiro; me entregar
religiosamente; ser e me doar íntegro e honesto;
enquanto você permaneceria vivendo em um lugar
intocável, onde os movimentos de reciprocidade eram
quase inexistentes. as nossas diferenças habitavam todos
os campos: físicos, geográficos, materiais, sentimentais

não dava mais desde a primeira vez em que me senti
exposto e vulnerável à sua completa falta de tato
e sensibilidade

não dava mais desde o primeiro dia em que me senti
tão à parte do teu amor e tão deslocado da tua vida que
nem mesmo querendo muito (e como eu quis)
eu conseguiria amar por dois
eu conseguiria te fazer olhar para mim e fincar afeto

desde então, tenho tentado dissecar a culpa que atribuí
a mim quando rompemos o laço. eu acreditava ser o
maior culpado da nossa história, eu cri ser o responsável
pelos traumas que você me imprimiu. afinal, eu quem
permaneci mesmo me sentindo, muitas vezes, quebrado
e sem expectativas, ferido e ansioso, sobrecarregado e,
no entanto, vazio de amor. afinal, era eu quem, no dia
seguinte, optava por voltar e bater à sua porta, voltar
àquilo que acreditava ser o melhor para mim.

mas acontece que o melhor, muitas vezes, se mascara
no desejo. o melhor se confunde com nossas próprias
expectativas e projeções. é porque queremos muito ser
amados que construímos cenas, organizamos cenários,
derrubamos silêncios, imaginamos amor onde não há,
dilaceramos qualquer das diferenças. e eu queria ser
amado. e em minha defesa, neste mundo tão vazio,
quem não quer?

o tempo serviu para que eu entendesse sobre a
necessidade que as pessoas têm de suportarem algumas
mazelas em troca de um punhado de afeto e diálogos
razoáveis e sexos nem tão bons assim. vivemos uma
vida inteira sem gozar, contando meias verdades para
preencher argumentos frágeis de sentido, deixando de

textos para tocar cicatrizes

dizer aquilo que verdadeiramente sentimos, medrosos na expectativa do que os outros vão dizer – e sempre vão.

ao mesmo tempo, fui colocando a culpa das minhas escolhas e a responsabilidade da permanência em nosso relacionamento também em você. fui entendendo que, na verdade, muitas foram as vezes que você me arrastou para uma zona nebulosa onde o amor romântico estava longe de ser um pilar para nós; que você preenchia o nosso tempo com jantares aos finais de semana com seus amigos e vôlei aos sábados e festas sempre que possível porque era mais fácil tomar decisões sozinho e me encaixar nelas do que construir, ao meu lado, um projeto de relação pensado por duas pessoas, maduras e conscientes do que faziam. então acabava que você me incluía nas suas "coisas" e eu ia pensando que era suficiente. você me inseria na sua rotina porque queria que eu te visse viver a tua vida, mesmo que um abismo nos separasse, ou melhor, nos engolisse, triturasse. eu estava tão próximo de você, mas tão longe ao mesmo tempo. a solidão era absurda, consigo entender agora. a miserabilidade também.

lembro de episódios pontuais em que acordei ao teu lado na cama me sentindo a pessoa mais infeliz do mundo, vezes em que tive vontade de chorar, mas precisava receber teus amigos em casa, sorrir, me fazer inteiro – e você sabia. dias em que queria sumir das tuas vistas e do teu universo, mas precisava manter a postura, fingir como quem prepara o corpo para uma batalha na qual não escolheu lutar. eu era o morador desavisado de uma cidade prestes a explodir e você sabia. você sabia que eu sabia que a gente não estava bem e que você não me queria. você sabia que eu sentia que você não era feito para mim, à medida que você fazia questão de desenhar uma linha bem demarcada, forte, firme, segura, que dizia: aqui você não tem permissão para entrar. quantas vezes eu tentei te acessar emocionalmente e fui empurrado com a desculpa de que você era mesmo "daquele jeito", que estava tentando melhorar e se abrir mais, e que para o meu próprio bem era melhor que fosse daquela forma. quantas vezes tentei ler a tua mente, mesmo sabendo que, sobre mim, nada habitava tua cabeça, te fazia pensar. que, sobre mim, o pensamento era esguio, distante, desmontável. teus argumentos a meu respeito e a respeito do porquê você estava comigo eram mais frágeis do que uma sacola de plástico voando desgovernada pela cidade em dia de temporal. as tuas respostas sobre por que você estava comigo eram tão vagas, falhas, que no primeiro discurso conseguiriam te contradizer. lembro de te perguntar várias vezes por que é que você estava ao meu lado e você responder algo como "porque você me ama, vê o melhor em mim" e eu resmungar, internamente, que nenhuma palavra era suave o suficiente a ponto de me abraçar. novamente, tratava-se da minha capacidade de te fazer bem e te amar, nunca de você enxergar em mim motivos para permanecer, cartazes que pudessem te guiar ao melhor de mim e, consequentemente, de nós. você acabou com a minha autoestima no dia a dia da nossa relação. primeiro quando evitava pronunciar qualquer palavra gentil que fosse de encontro à minha pele. depois, quando deixou de frequentar a gentileza de me olhar com calma e carinho, de perguntar onde doía, quais problemas me perfuravam a pele, como tinha sido meu dia no trabalho. a sua preocupação tomou outros rumos, tinha outras questões com as quais lidar. a tua curiosidade sobre minha vida e história deram lugar à completa ausência de sequer tentar ser presente, ser curioso pela pessoa que você dizia amar. eu me questionei tanto se eu era suficiente, se eu era bonito, se era alto, se era forte, se precisava fazer alguma coisa para mudar a minha aparência, meu modo de me vestir, mesmo meu modo de falar. eu mudei meu tom de voz, deixei de brilhar na forma como me expressava, eu esmaeci personalidade e estilo só para que você pudesse reparar em mim, já que nenhuma palavra, nenhum eu te amo, nenhum olhar terno e carinhoso, nenhum gesto de incentivo eu recebia de você. *lembra quando o teu melhor amigo perguntou o que é que você estava fazendo comigo?* e depois outro amigo teu insinuar que eu era muito cênico, teatral? e você rir, porque devia ser muito engraçado ter um namorado que aceitava as microviolências sem dizer nada, apenas balançando a cabeça, sem entender o que estava acontecendo?

cênico é uma outra forma de dizer... feminino?

era este o problema?

a culpa que eu abracei tão desesperadamente para tentar me explicar por que eu permaneci contigo tem sido desmanchada pouco a pouco. consigo perceber o que um relacionamento abusivo é capaz de fazer com a vítima: abraçamos a culpa porque é mais fácil dizer a nós mesmos que terminou porque fomos o problema. pois é o que nos resta depois do navio com todas as expectativas e planos e agendas e momentos finalmente atingir uma imensa e massiva pedra de gelo. boom. a culpa é o bote que nos olha nos olhos e diz: "me agarre, me agarre! eu sou a tua única companhia". hoje eu tenho percebido que não preciso carregá-la apenas porque você desenhou ao meu redor jogos psicológicos muito bem planejados e uma engenharia emocional muito bem praticada para que, no final do dia, eu ainda me culpasse por ser a pessoa que me entregava, permanecia e tentava te apoiar. uma vez que você viu a minha infelicidade e angústia ao ser afastado do teu afeto e, mesmo assim, me alimentou com pequenas esperanças de que melhoraria seu comportamento, mudaria a maneira como me tratava, seria um namorado melhor, abrindo-se mais, sendo mais honesto sobre o que sentia, sobre o que queria para nós.

habito um lugar melhor neste instante. meses se passaram e consigo compreender o que foi meu e o que continua sendo seu. todos os malabarismos que fiz para ter minha imagem atrelada à sua, os movimentos que deixei de fazer para ir embora muito antes de ser ferido, o que poderia ter feito a tempo para me salvar, mas não consegui. quais os mecanismos que você usou para me deixar ainda mais dependente e incapaz de partir, as projeções e expectativas que foram só minhas. os campos minados que você criou para que eu tivesse medo de ir em determinados lugares, confrontar certos comportamentos, discutir por que você estava me tratando de forma amigável sendo que eu te amava romanticamente. as regiões que decididamente optei por não acessar para não descobrir, no final das contas,

textos para tocar cicatrizes

que o amor só existia da minha parte, produto de tudo o que gostaria de que fosse a verdade, mas não era. e como eu deveria ter me tratado e honrado aquele que sempre esteve aqui, só não sabia como se enxergar.

estou me olhando com carinho. e tem sido uma imagem bonita, sem você.

Ilha Grande

lá estava eu
na proa do barco
pensando seriamente se pulava
no oceano
naquele infinito azul e verde
onde tudo habita e nada se perde
ou onde tudo se perde e tudo morre
se não souber como respirar

lá estava eu
prestes a cair com o corpo quente
no frio que não se acaba nunca
eram seis metros de profundidade
era o meu medo de não voltar
era o coração acelerado de não
conseguir ter pulmão o suficiente
para fazer dar certo

textos para tocar cicatrizes

mas eu fui
gritando: me joguem a boia!
me joguem a boia assim que eu cair!

só que quando você deixa o barco
o corpo namorando a gravidade
e o movimento de queda total e absoluta
não tem deus que te guarde
orixá que te guie
respiração que te salve

é você e a resistência do ar
é você com seus pensamentos, todos, tolos,
morrendo de medo
é você e a adrenalina do cair

e eu caí
como eu caí

o corpo inerte encontrando o mar azul infinito
os quatro segundos de mergulho profundo
no incalculável das coisas da vida de tudo
os outros seis de volta à superfície
a respiração ofegante e cheia de si
e finalmente os olhos mirando o céu
a boia
os aplausos do mundo
a vitória: eu enfrentei o mar aberto
o mar aberto sou eu.

igor pires

dente de leite

eu aprendi a perder desde cedo. os dentes quando
criança pareciam uma metáfora de como as pessoas
passariam pela minha vida: depressa. por isso não
chorei quando meu primeiro namorado me deixou.
eu o amava tanto, mas tanto, que no dia em que
terminamos eu dei risada. era a dor dando a mão a tudo
que me antecedera na queda: eu já sabia exatamente
como cair. eu sabia como seria o processo de dor
descomunal, para depois a paz indescritível de dias em
que ele teria ido, finalmente, em todos os aspectos. eu
tinha 22 anos quando perdi a sanidade pela primeira
vez. remédio todos os dias para apaziguar a sensação
de vazio, os mesmos caminhos rumo à faculdade e a
mesma hora de sempre para chorar. cronometrava:
chorava dez minutos para passar dois meses sem voltar
ao país que me devastou. chorava tudo o que podia
no meio de uma crise de ansiedade porque, depois,
não permitiria às minhas lágrimas descerem livres por
mim. então quando você se foi, naquele domingo febril

textos para tocar cicatrizes

e pandêmico, eu igualmente não chorei. fui absorto para casa porque perder você era como morder a maçã quando criança e esperar o sangue jorrar lento pela roupa clara. era esperar uma fada do dente vir curar minha imaginação doente de tanto criar cenas que não existiam. era esperar a dor do desconhecimento passar para que a dor do renascimento pudesse voltar à gengiva, a mim mesmo. você não é o dente, mas o choro de dez minutos do ponto de ônibus que aconteceu enquanto eu ia para o trabalho na semana passada: grave, certeiro, mas pontual. eu chorei como nunca, como se dor fosse a massa de bolo que incha para, depois, voltar ao seu estado normal, cotidiana. porque me acostumei a perder e não existe feiura em dizer isso. perdemos: dente, roupas, melhores amigos, filmes, aulas, tudo. e que dádiva é saber perder. que dádiva é noticiar a presença de outro dente nascendo ao redor da boca, ao lado da cura, no infinito de tudo.

igor pires

amigo

"estou na casa de um amigo"
eu disse ontem à noite
por telefone

a voz fraca cuspindo a sentença sem sustentação
os pensamentos se contraindo na mentira
que acabara de escapulir pela boca
e a surpresa do próprio corpo reagindo àquelas palavras
vazias de qualquer força
ou ação

chovia na cidade
casais estavam se amando
dentro de carros em estacionamentos de shopping
lotados
debaixo de toldos caindo aos pedaços
fora do mar, onde tudo perece
enquanto meu pescoço estava
suficientemente confortável

afundado no peito de quem que me faz
brilhar os olhos enquanto descanso

do outro lado da linha e do estado
você terminava mais uma jornada de trabalho
cansado, talvez, por usar as mãos
para construir algo do qual as pessoas
fazem pouco juízo

"terminei de montar outro transformador"
sua voz elétrica enunciava
e as palavras colocadas lado a lado
também formavam
estou com saudade
como você está, meu filho?

e eu queria te dizer que nunca
estive tão feliz.

porque fui encontrado por alguém
cuja presença não sondava meus sonhos
não se pendurava nos planos

textos para tocar cicatrizes

não estava no script
no entanto aconteceu
e se transformou em algo mais poderoso
do que o destino
mais profundo do que o desconhecido do mar

queria responder que esbarrei
acidentalmente em alguém
responsável por me fazer
mais pele e menos osso
menos concreto e mais vulcão
mais poesia e menos atrito

que atrito para nós
é sinal de fogo
mas nós somos artifício

estou na casa de um amigo
eu respondi
mas queria falar que estava experimentando
uma espécie de céu que só existe
quando duas pessoas se encontram e
nunca mais se deixam escapar
quando os corpos se compreendem
tão bem que viver é apenas uma forma de dizer
que alcançamos a eternidade

queria te contar, pai,
que o amor finalmente me encontrou
mas veio preso à língua
e no corpo de outro
homem.

sobre gôndolas,
festas de aniversários
e projeções

foi como ir ao supermercado com mamãe
e esperar pelo doce que ela disse que iria comprar, mas
não comprou.

a esperança atolada em algum iogurte da prateleira que
nunca viu minhas mãos minúsculas esticando-se para
pegar o objeto de desejo.

eu havia esperado por horas pelo momento solene em
que o açúcar encontra o sangue: onde a endorfina enfim
dançaria no corpo afastando todo o medo de não ser
contemplado no pedido.

acho, inclusive, que foi aqui que comecei a
ter medo de pedir.
eu tinha 7.

textos para tocar cicatrizes

foi como a primeira vez que
descobri ser possível acalmar
a ansiedade escrevendo
os números do 0 até 2000
na sala de aula do ensino
fundamental. aos 10 anos,
enquanto escrevia, não
dava tempo para pensar
que eu odiava o colégio e as
brincadeiras e as risadinhas
e os grupos e tudo que me
parecia certo demais e eu, eu
tão errado, tão fora, tão longe
do círculo. então existiam os
números e eu: rodopiando
junto ao tempo para ir
embora o mais rápido
que pudesse.

foi como a primeira vez que
andei de avião. a ponte aérea
São Paulo – Rio de Janeiro
durou quarenta minutos,
mas pareceram três semanas,
infinitas, cheias de lágrima
e ansiedade. a adrenalina de
quando a decolagem perfura
seu estômago e encontra
seu intestino, a vontade de
vomitar, o medo de uma
estrutura metálica se desfazer
no atrito do vento e

igor pires

de repente os bancos voarem e o corpo se desintegrar. tão rápido, tão forte, tão irreal.

eu tinha 21 e já me diziam que era feio chorar quando adulto – não sabiam que era meu esporte favorito.

você foi o mais perto que cheguei da gôndola e do momento de ir embora para casa, depois de cinco horas no colégio.

você foi a decolagem, mas também o momento em que o avião pousou e a história na cidade do Cristo redentor começou.

eu cheguei próximo de colidir em você.

de tentar entender por que você carrega constelações contigo, e no entanto permanece terreno, humano, naturalmente corpo e carne e matéria e finitude.

textos para tocar cicatrizes

eu fui, na emoção adolescente, imaginando como seria
o primeiro abraço, o primeiro beijo, a primeira vez e
a segunda
a terceira
e a quarta até que então não precisaria contar por medo
de ter um fim.

não houve nem começo.

você foi as vezes que quis muito ser amado, mas estive
longe do sentimento, mas principalmente: do caminho.

as vezes que acordei ereto, ejaculado, em sonho.
pois a realidade viva das coisas me dizia sobre a
impossibilidade de se amar alguém que voa,
de querer alguém que nem está aqui.

foi como estudar para a prova que eu tanto queria
passar e no entanto não acordar no dia do teste.

eu passei semanas analisando meticulosamente a
densidade da água; pesquisando sobre as reações
químicas de substâncias impronunciáveis; decorando
o nome das capitais de países do sudoeste asiático;
entendendo sobre astronomia e os quatro porquês,
porém os esforços foram em vão. havia um pesadelo
afundando meu pescoço e meus olhos, impedindo-me
de acordar.

foi como aguardar o conjunto de carrinhos da *hot wheels*
que meu pai sempre dizia que iria comprar. eu aguardava
algum dia especial; uma data comemorativa; uma fresta

de bondade no meio do caos que insurgia na vida pobre que levávamos, mas até hoje não sei como é manobrar aquela minimáquina. como é ter a sensação de ganhar algo que se quer muito.

foi como esperar a festa de aniversário surpresa ano após ano, aquela que nunca aconteceu.

eu saía de casa para distrair os pensamentos da ideia de que haveria milhares de amigos em casa, os pais, vizinhos, colegas de trabalho, desconhecidos que um dia eram conhecidos demais à minha espera, para cantarem a música alegre e ritualística daqueles que completam uma volta ao sol. eu voltava lentamente, com o coração batendo e ansioso; abria os portões, imaginava os sussurros, os gritos, e andando ainda mais lentamente, como quem segura o coração nas próprias mãos, nada encontrava. não tinha o bolo, os balões, os refrigerantes, o "parabéns pra você, nesta data querida."

o que estou tentando dizer é que você é como todas as minhas projeções que nunca se materializaram.

todas as vezes que quis tanto algo, que orei, chorei, bati o pé, pedi, tentei, mas nunca, nem de perto, consegui alcançar.

aquela porção do mar que não chego porque os braços se cansam antes mesmo de entenderem onde estão.

o minuto seguinte ao meu melhor tempo embaixo da água, segurando o ar em meus pulmões, pensando se dois minutos serão suficientes para me tornar um vencedor.

textos para tocar cicatrizes

você é meu terceiro minuto.
a prova que não aconteceu.
as 26 festas de aniversários-surpresa que nunca recebi.
a sala de aula com numerais infinitos a serem escritos
em folhas de papel imaginárias.
o iogurte da gôndola que eu suplicava para mamãe
comprar.
tudo o que sempre quis mas nunca tive.
a promessa eterna de um amor que jamais existiu.

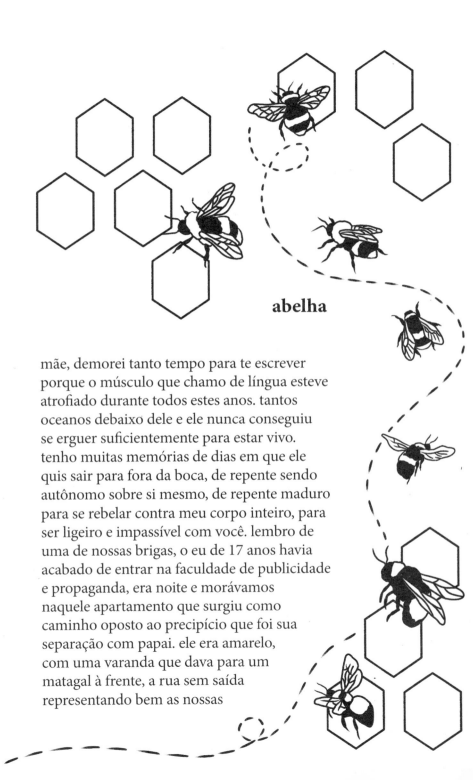

abelha

mãe, demorei tanto tempo para te escrever porque o músculo que chamo de língua esteve atrofiado durante todos estes anos. tantos oceanos debaixo dele e ele nunca conseguiu se erguer suficientemente para estar vivo. tenho muitas memórias de dias em que ele quis sair para fora da boca, de repente sendo autônomo sobre si mesmo, de repente maduro para se rebelar contra meu corpo inteiro, para ser ligeiro e impassível com você. lembro de uma de nossas brigas, o eu de 17 anos havia acabado de entrar na faculdade de publicidade e propaganda, era noite e morávamos naquele apartamento que surgiu como caminho oposto ao precipício que foi sua separação com papai. ele era amarelo, com uma varanda que dava para um matagal à frente, a rua sem saída representando bem as nossas

vidas, a lua crepuscular crescendo
sobre nossas cabeças. você gritava. eu
gritava também. eu tinha acabado de
sair da igreja, era como se finalmente
tivesse aberto os olhos depois de nove
meses dentro de um útero, uma prisão. e então
eu estava descobrindo as coisas, as pessoas, o
gosto do beijo que pode existir quando dois
homens se tocam, o pecado se materializando
no encontro de duas peles que se aqueciam mas
não se queimavam, deus me olhando e, quem
sabe, desolado pois algo em mim despertava
e já era maior que eu. lembro que gritávamos
porque eu queria uma espécie de liberdade
que já não morava em vigas de apartamento e
concretos de prédios antigos. era uma liberdade
maior, no sentido filosófico da vida. era uma
boca imensa para um mundo também imenso,
uma força da natureza que ricocheteava em
mim desejos que não cabiam no meu quarto,
não respiravam livres pelo bairro, já não
existiam completos ali naquela cidade. e
eu chorava muito vendo você gritar e
falar palavras das quais não me recordo
porque a mente simplesmente
deletou os desacordos que tivemos.
tantas cenas, inclusive, foram
apagadas do meu cérebro.

como se ele, por amor a si mesmo
e àquilo que há em mim, preservasse
o trauma em uma redoma de vidro. mas
a redoma vive no meu estômago, mãe. eu
sinto que a qualquer momento posso vivenciar
a memória, a lembrança, a voz estridente, a
briga que mais parecia um sinal de abismo entre
mim e você, a conversa desafiadora que arranhava
as questões sobre sexualidade, a sensação de solidão
acoplada nas vértebras, abraçada nos ossos, perdida
no músculo e que achava ser atrofiado.

muitas outras situações flutuam agora nos meus
pensamentos. como a primeira e única vez que sua
mão conheceu meu rosto. eu me sentava atrás de
você naquele disputado computador que você e papai
haviam comprado, esperando a minha vez de acessar
aquele novo mundo. o computador era nosso artigo
de luxo, motivo do qual falava dele para todas
as amigas da sala de aula. sinal de que, de certa
forma, o status social cumpria sua promessa
ao entorpecer ouvidos alheios com pequenas
vitórias de famílias humildes como a nossa.
você estava logo à minha frente, entretida
com algum grupo do Orkut. eu sabia que
era seu passatempo preferido naquela fase
da vida que parecia triste demais para
fazer qualquer outra coisa. eu sabia

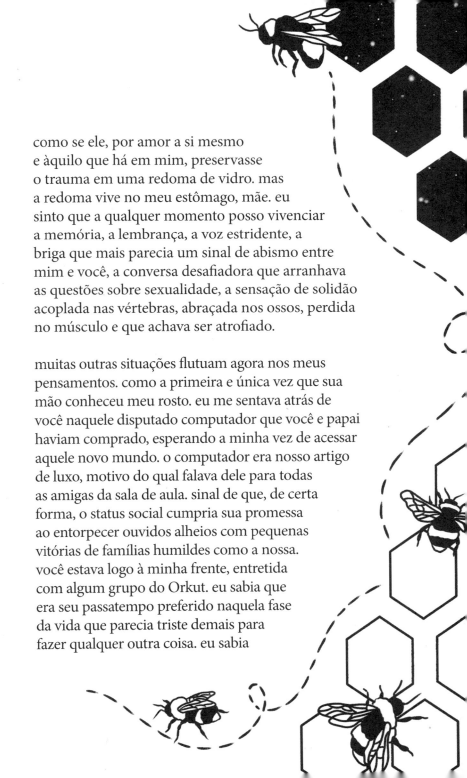

textos para tocar cicatrizes

que uma tristeza te habitava, só não sabia
como tirá-la de você. eu sabia que você não
estava bem, mãe, e que o computador, um
novo mundo, o grupo sobre determinado
assunto eram apenas atalhos para você sair
dali, daquela casa de 90m². e então eu te
pressionei, com uma pressa imatura, para que
eu me sentasse logo no seu lugar. olhando para
trás, percebo que talvez eu nem quisesse ficar vendo
aquela tela de 14 polegadas dialogando com minhas
pálpebras. talvez eu nem quisesse digitar www e cair
dentro de um novo cenário, de novas sensações. talvez
eu só quisesse me sentar no mesmo lugar da senhora,
experimentar do desejo de estar ao lado da mulher que
me pariu, daquela que me fez carne viva no mundo. eu
queria estar lá para me sentir mais próximo do abraço que
derreteria até as mais profundas geleiras da Antártica, que
acabaria com o mais rígido inverno europeu. e então outro
grito. as palavras furando a atmosfera do espaço, aquele
chão verde horrível feito resina da sala, a rua barulhenta
lá fora, mas isenta de preocupações. ouvir seu grito, para
mim, era como me desmontar inteiro. significava que
algo não estava bom o suficiente, a linguagem do terror
enrolando-se lentamente em meu corpo raquítico, as
palavras apertando suavemente o espaço da garganta, a
respiração em tempo de esquecer-se de si. eu me sentia
verdadeiramente como um filho, naquele momento.
alguém cujo rosto teria o direito de receber o tapa se
fosse o caso, mesmo que o erro não fosse meu. mas eu
me assustei depois do tapa. eu me lembro de correr para
o quarto e de chorar por dias a fio com a sensação de
impotência. como você, que me amava tanto, poderia

pular esta barreira. como alguém que me aguentou por nove meses na própria barriga poderia pensar ser possível ensinar a um filho a palavra respeito através do toque em uma superfície tão sensível tal qual a face. o tapa não doía no rosto, que no momento ficou quente e vermelho feito céu muito poluído de São Paulo. machucava era um órgão tão forte do corpo humano, como as mãos, encontrar o rosto, talvez o mais fraco. doía um órgão feito para secar as próprias lágrimas ser o responsável por provocá-las. uma parte do ser humano responsável por alimentá-lo ser justamente o meio usado para me esfomear. eu tinha fome de uma mãe. por isso eu sei que o tapa doeu em você também. porque você não sabia como conversar comigo e por isso usava as mãos. porque bater às vezes é mais simples do que falar. porque a mão conhece palavras que a língua ainda não aprendeu. porque você sentia falta e fome também. de ter um filho.

***

eu descobri recentemente, mãe, que algumas espécies de abelhas dançam na frente umas das outras para mostrar onde fica a flor mais próxima, o mel de que precisam para sobreviver, o caminho que precisam percorrer para chegar até o destino onde o coração finalmente encontra com o desejo. uma delas, a exploradora, voa para fora da colmeia em busca de sobrevivência e sobrevoa, por vezes, quilômetros de distância para encontrar com aquilo que lhe afeta o peito. e penso que quando encontra com a flor, com a vida, com o mundo explodindo, ela não se contenta em tamanha felicidade. começa a emanar um som, como um sinal a deus, agradecendo a oportunidade de ser o caminho para as outras, o elo, o primeiro arrepio, a gota oceânica que sacia alguém com sede por dias. então a abelha volta, dançando, sorridente, em sua tarefa de comunicar que a passagem está livre, que tudo bem percorrer dez, doze quilômetros para chegar ao alimento.

o que é esta abelha senão o momento exato em que tudo se conecta e faz sentido, mãe? o que é esta abelha senão o momento exato em que o planeta entra em órbita novamente e a respiração de deus volta à tona, como se estivesse, por um segundo, esquecido de ser em si mesma, de existir em seu próprio poder, fatal e onipresente? a abelha, mãe, chegando à colmeia, precisa contar a novidade para as outras, as operárias. para chamar a atenção de suas companheiras, ela sobe em uma abelha-prima. ao conseguir o olhar atento, começa a dançar, traçando um pulmão imaginário ao redor de si mesma. e eu me pergunto, será que ali ela se dá conta da metalinguagem à qual pertence? desenhando aquilo que nos mantém respirando. sendo aquilo que nos mantém existindo. e é neste momento, ela se preparando para o anúncio, eu imagino, que deus sorri. os planetas se emocionam com a possibilidade de perfeição ser não apenas palavra, mas ação e movimento. o ser humano respirando porque, milhares de anos atrás, seres tão pequenos conseguiram ser tão gigantes na maneira que existem e compartilham da experiência que é a vida. *quanto mais a abelha demora para traçar a linha, mais longe está seu alimento.* na dança, ela ainda consegue traçar em que direção está a comida em relação ao sol. ela avista o sol mesmo se nuvens estiverem

em seu caminho. mesmo à noite,
na escuridão, ela sabe onde a maior
estrela do espaço sideral descansa.

***

eu demorei para te escrever porque a língua atrofiou e
mesmo assim nós nunca fizemos um minuto de silêncio
ou nunca, de fato, fizemos as pazes. lembro-me de te amar
muito mais quando estávamos distantes do que juntos.
pode o amor existir no meio do abismo desta forma?
pensava. pode o amor coexistir entre a incompreensão e
a vontade de conhecer? por isso os gritos e os silêncios e
as incompreensões, todas, lado a lado, na minha infância,
e logo depois na adolescência. por isso as mãos para o
alto, a obrigatoriedade de ir à igreja, as vezes que ajoelhei
no milho para não enfrentar o poder das suas mãos. por
isso as vezes que me escondia debaixo da cama, ouvindo
os gritos do meu pai e a briga e o tumulto e a aspereza
no modo de lidar. eu demorei para te escrever porque a
língua esteve petrificada, enrolada em si mesma para não
se dissolver. porque tinha medo e o medo me consumia
feito querosene quando encontra a madeira fina, frágil,
deteriorada. mas agora escrevo e penso muito sobre você.
penso em todas as vezes que você me amou em silêncio,
ora pedindo para que deus me colocasse em suas mãos,
ou mesmo orando às três das manhã, pedindo para o Aba
me resguardar debaixo de sua graça. ora preparando a
mesma comida de sempre: arroz, feijão, bife; ou quando
passava as manhãs e tardes trabalhando na casa de outras
pessoas, enquanto a minha, a que vivia dentro de mim,
desabava feito prédio sem perícia, atenção. ninguém me
dava atenção, mãe, e eu achava injusto pedi-la a você.

textos para tocar cicatrizes

como se pede atenção quando a fome é um corpo à frente da nossa boca? como se pede colo, quando a vida lá fora chacoalha os braços e avisa que o dia seguinte, lá pelas cinco da manhã, começa tudo de novo seu processo de esmagar ossos e sonhos? eu não me sentia no direito de me aconchegar em suas mãos trêmulas e calejadas de vida. eu não conseguiria consumir o silêncio e o espaço e a cratera que se materializavam em nossas vidas como contas a serem pagas.

eu demorei porque o tempo é um elástico que quanto mais avança, mais recua para se recuperar. e é isto que faço aqui, mãe. eu estou nos recuperando e nos colocando nesse lugar que avisto e é imenso, florido. onde há luz e vento e paz e de repente nossas dores não nos apartam ou fazem com que as bocas silenciem. estou aqui, avançando na idade adulta, procurando na adolescência motivos para seguir em frente, entendendo que agora somos pessoas curadas ou que, pelo menos, conseguiram se libertar. daqui eu percebo que você precisou ser forte para suportar a cidade grande e o peso de um relacionamento que não te fazia bem. era como acorrentar um pássaro que até então só havia conhecido o gosto do vento. ele não sabe fazer outro movimento senão voar. eu sei que foi injusto te colocarem dentro da gaiola. porque pessoas como nós, que nascemos quase estéreis de futuro, morremos se não conseguimos alçar outros voos, formas de existir com o coração pulsando. eu sei que você tem um furacão no lugar do peito. eu vejo que seus olhos estão sempre desafiando a gravidade, procurando no ar respostas para as infinitas perguntas que te rodeiam. acho que agora sei de onde vem as minhas indagações, o meu descontentamento: de uma mulher que nunca soube ser afirmação. uma vez você me disse que eu sempre quero mais, que nunca pareço estar satisfeito com nada. mas eu vim de você, mãe. eu nasci de um corpo impaciente. com 8 anos de idade você já cuidava de seus irmãos como uma mãe cuida de seus filhos. aos 8 anos você já carregava baldes de água para lavar roupa no rio. já se entendia como mulher, alguém cujo DNA precisou envelhecer antes mesmo da pele encontrar com os pelos, da adolescência erigir na face e nos membros e em tudo. você já era adulta quando a palavra mulher preenchia-se de significado. você já era uma mulher que corria com os lobos antes de se reconhecer como uma. então acho que é por isso que vim sedento também. que procuro perguntas onde há muros. que quero respostas onde há abismo. que quero o amor inexorável e a entrega infinita e as palavras todas entrecortando os silêncios, matando aquilo que é raso, asfixiando o superficial.

eu te olhava na infância como uma supermulher. hoje me arrependo de tê-la colocado nesse lugar incólume. de te ter erguido a um patamar onde pessoas não sofrem e mulheres não choram. eu te achava forte demais por não chorar, quando hoje acho que você é forte justamente quando começa a se derramar em minha frente dizendo sobre os próprios sentimentos. quando me olha nos olhos e diz que não está bem, que a dor dói em lugares impensados, que a solidão adoece até a mais insubmissa das alegrias, que o fim de qualquer casamento destrói até

textos para tocar cicatrizes

a mais incorruptível das células.
eu achava que estava te amando
ao te colocar no território da força,
mas até que ponto eu não fazia o oposto?
tirava a sua humanidade, trocava-a por
uma armadura e chamava isso de admiração? hoje,
percebo que não me admirava com a sua força, que é
seu sobrenome e do qual você se alimenta diariamente,
mas com a sua capacidade de existir serena mesmo
quando seus pés flertavam com cacos de vidro. que você
continuava a tentar manter dois filhos ao redor do seu
corpo, nutrindo-os de sonho e vida, enquanto o mundo
caía sobre sua cabeça e você se desmanchava inteira
tentando nos salvar.

***

estávamos indo para mais um culto na Igreja Sede. e eu
amava ir para a igreja-mãe das outras igrejas. era como
voltar a ver pessoas que eu só veria um mês depois, com
certeza mudadas pela ação das semanas sobre suas vidas.
eu me atentava às roupas que as mulheres vestiam, aos
meninos com suas calças sociais e brincadeiras nada
convencionais, aos homens e suas manias de serem
homens – em atitude, na forma como tratavam as esposas,
como inclinavam-se para atenderem o desejo dos filhos.
eu gostava de ir para a igreja porque podia ver minha
avó na cantina. era o momento em que podia praticar
o privilégio de ser seu neto. o momento em que sentia
o amor materno multiplicado por dois. quando a avó
olhava para mim, me dava uma coxinha e sorria com
aqueles olhos amendoados, os mais bonitos que eu já vi.

igor pires

ir à igreja era o evento do mês e você, assim como eu, se arrumava como quem ia a um lugar muito especial – e era. eu tinha muito orgulho de ser seu filho pois todos te cumprimentavam como se você fosse uma celebridade. a mulher mais importante daquele terreno, a responsável por organizar e celebrar as companheiras de fé, aquela sempre à frente do seu tempo com palavras gentis e guiadas por deus.

aos cinco anos, toda viagem de ônibus parece um voo para outro país. para além da igreja, eu lembro de amar os minutos que ficava dentro do transporte que nos levava à Rua Nilo Peçanha porque era o momento em que duas das minhas coisas favoritas aconteciam: ficar perto de você e olhar o mundo correr pela janela. nunca olhar pela janela me trouxe tanta paz como na infância. me sentia como se pudesse disputar uma corrida de carro, sendo eu o próprio automóvel da brincadeira, de modo que escolhia a quantos quilômetros podia ir, com quem competia, quais eram as regras. em minha cabeça, cada carro era um país e, de repente, estávamos nas olimpíadas disputando cem metros rasos. e então eu *corria corria corria*. ao olhar pela janela, a adrenalina de ultrapassar um a um me motivava ainda mais a olhar aquele vidro embaçado e sujo de poeira. neste dia, você decidiu se sentar na parte da frente do ônibus. não passamos a catraca, nos sentamos à esquerda do corredor, logo atrás de onde o motorista nos guiava. não entendi por que ficamos ali, mas as perguntas eram vaga-lumes prestes a se desfazerem no vento. então me sentei à sua frente, sozinho, e você permaneceu atrás de mim, e ao fazer isso, me dizia sobre a liberdade que, de certa forma,

textos para tocar cicatrizes

estava me concedendo. depois de alguns minutos, no entanto, algo inesperado aconteceu. um homem entrou, com uma arma em punho, gritando e pedindo dinheiro. aquilo, descobri anos depois, se chamava assalto. entre o momento o qual o homem subiu pelas escadas, apontando aquela arma para o motorista, e o momento em que você o interrompeu, dizendo, *"eu posso pegar o meu filho?"*, algo desabava em outro mundo. algo se quebrava, em nome do amor ou da coragem. eu não entendia aquele grito de bravura até virar adulto. eu não entendia suas mãos ágeis me pegando no colo e me arrastando para próximo dos seus braços até entender por que mães existem, por que existe deus. olhando para trás, não apenas a coragem foi sua voz contra a arma, a iminência da morte, o fim de tudo. também o medo grudado na sua garganta, porém ínfimo, pequeno demais para te impedir de se arriscar e se colocar no meio do fogo cruzado, no meio de alguém que poderia nos levar a vida. seus gestos protetivos, a força com a qual você se colocou à minha frente, o ímpeto que se sentou sobre suas costas enquanto você me puxava para perto de si, me colocando rapidamente ao teu lado, dizia *"não faça barulho"*, mas você era a explosão, mãe. o pedido de socorro da leoa que faria qualquer coisa pela sua cria. você era meu escudo, o colete salva-vidas, o momento no qual um filho percebe por que veio ao mundo: *sua mãe veio primeiro.*

***

te agradeço por vir primeiro que eu. por pavimentar o caminho, mostrando como é que se busca a própria comida, como é que se alimenta uma boca faminta por respostas. não foi apenas o alimento que você me ensinou a buscar, mas a poesia da existência. vê-la existir no mundo foi uma das maneiras que encontrei para me ver também, me enxergar, entender por que eu quero sempre, tanto e mais. por ter sustentado meu corpo dentro do seu, como um galho que, de tão frágil, se permite à beleza das folhas para manter a estrutura da árvore: é a gentileza que fornece o encanto. por todas as vezes que falhamos, pois falhar significa que ainda pulsamos. pelas conversas duras que tivemos, agora crescidas e maduras. por tudo o que você já fez e eu não soube e nunca fiz questão de saber por achar irrazoável. por tudo o que fez demais e, no entanto, desapareceu antes de chegarem até mim. os quilômetros que percorreu do interior da Bahia até São Paulo porque manter-se viva era mais importante do que apenas estar viva; os quilômetros que precisou percorrer da colmeia até a comida porque alguém precisava liderar uma revolução; os quilômetros de casa até o trabalho porque precisava me alimentar; e enfim os quilômetros que continuam sendo percorridos para que não estejamos mais em lugares tão distantes assim.

***

você é tão imprescindível ao mundo quanto uma abelha, mãe.

textos para tocar cicatrizes

língua presa

preciso curar minha língua
de carregar o peso das palavras
não ditas

preciso tirar um mundo inteiro
de cima de seus ombros
as expectativas dos meus pais
a faculdade que não terminei
meu primeiro namorado
a primeira traição
os primeiros remédios para ansiedade
a depressão

eu preciso curar minha língua
de fazer silêncio enquanto
fogos de artifício queimam o peito
atingem o sangue
esquentam o corpo
me transformam em um vulcão

preciso afastá-la
dos que acreditam que no grito
mora uma conversa
dos que erguem os punhos
para argumentar diante de uma discussão
daqueles que não têm o poder
da palavra nas mãos

porque eu tenho.

por isso eu escrevo.
e uso minha língua para
reconstruir cidades destruídas
reviver situações paradas no tempo
ressuscitar diálogos
que morreriam – e acabariam
me sufocando no meio da noite

o peso de carregar
uma língua morta
é o peso de um mar sem lua

e eu sou o mar
querendo ser beijado
pela luz

sou eu quem carrega
a língua doente
que agora busca a saúde
de tudo que fala
e escreve

textos para tocar cicatrizes

eu estou escrevendo para curar minha língua
de ter sido silenciada
por tanto tempo pelos socos do mundo

me curando ao pegar em sua mão
puxando-a para fora da boca
dizendo a ela: *seja bem-vinda*
você pode existir por aqui

nota do autor

eu quis escrever um livro que falasse sobre cicatrizes porque elas nos conectam e nos transformam. são as responsáveis pelas histórias que contamos a amigos, vizinhos, terapeutas, desconhecidos em fumódromos de festas, colegas de transportes públicos, mesmo aqueles com as quais não temos muito contato, mas de vez em quando encontramos por aí, nas esquinas esquecidas da vida. são as cicatrizes que nos moldam, vertem nossos movimentos, nos guiam rumo a futuras relações, rumo à principal delas: nós mesmos. às vezes à mostra; muitas vezes invisíveis, todos nós estamos sendo cicatrizados no instante em que estas palavras são lidas. há, sempre, alguma mágoa morando em nossos ombros. um fim que não se resolveu. uma briga que aconteceu e até hoje remói o mais forte dos ossos. uma declaração que não veio, se esqueceu de chegar; um pedido de desculpas que não foi verbalizado, uma memória dolorosa de quando tudo parecia no lugar, uma saudade apertada no mais profundo e irrecuperável do peito. temos cicatrizes de anos, décadas, de meses, do ontem. do que poderia ter

textos para tocar cicatrizes

sido e não foi; do que foi até demais; das vezes que amamos com intensidade, das vezes que nos amaram de tal forma que quase não acreditamos. temos cicatrizes de feridas que nos custaram meses de cura e de feridas que ainda estão aqui, atrasadas para cruzarem a linha de chegada, o momento em que tudo se pacifica e deixa de doer. este livro eu escrevi para você, para mim, para todos aqueles que têm relevo na pele e no mais honesto de si: na cura da dor somos todos mais humanos.

Conheça os demais livros da série
Textos cruéis demais:

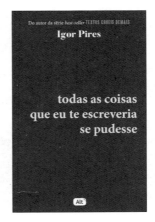

**Confira nossos lançamentos,
dicas de leituras e
novidades nas nossas redes:**

editoraAlt

editoraalt

editoraalt

editoraalt